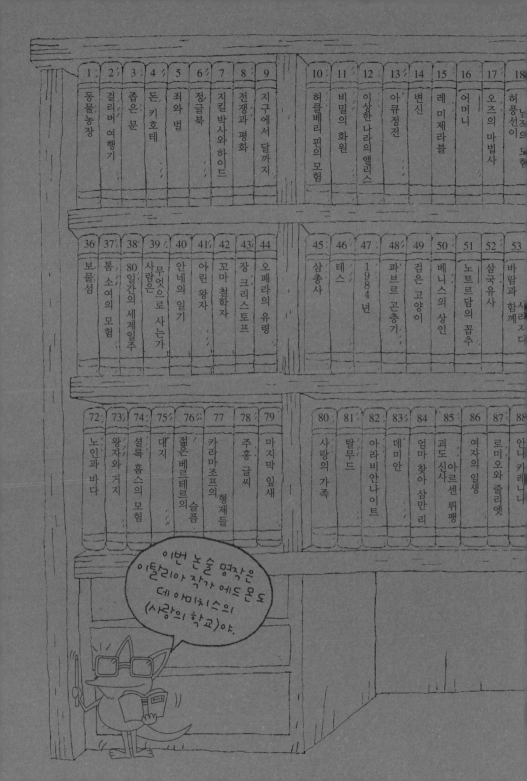

아이세움 논술 | 명작 93

사랑의 학교

감수 방민호

서울대 국문과, 같은 과 대학원을 졸업했습니다. 제1회 창비신인평론상과 제18회 김달진문
학상을 수상했으며, 현재 서울대 국문과 교수로 재직 중입니다. 〈비평의 도그마를 넘어〉,
〈문명의 감각〉을 비롯한 많은 책을 쓰고 엮었습니다.

아이세움 논술 | 명작 93

사랑의 학교

원작 에드몬도 데 아미치스 | **엮음** 허난희 | **그림** 박승원 | **감수** 방민호
펴낸날 2011년 3월 15일 초판 1쇄, 2013년 10월 25일 초판 5쇄
펴낸이 김영진

본부장 조은희 | **사업실장** 이영호
편집장 박철주 | **편집 · 진행** 박은식, 백한별, 이미호, 안아름 | **디자인** 강륜아
펴낸곳 (주)미래엔 | **주소** 서울시 서초구 잠원동 41-10
전화 마케팅 02)3475-3843~4 편집 02)3475-3924 | **팩스** 02)541-8249
등록 1950년 11월 1일 제16-67호 | **홈페이지** www.i-seum.com

ISBN 978-89-378-4982-4 74890
ISBN 978-89-378-4116-3 (세트)

· 책값은 뒤표지에 있습니다.
· 파본은 구입처에서 교환해 드리며, 관련 법령에 따라 환불해 드립니다. 다만, 제품 훼손 시 환불이 불가능합니다.

Mirae Ⓝ 아이세움은 (주)미래엔의 어린이책 브랜드입니다.

아이세움 논술 │ 명작 93

사랑의 학교

에드몬도 데 아미치스 원작
허난희 엮음 │ 박승원 그림

아이세움
i-seum

명작은 인간과 사회를 이해하는 첫걸음입니다

많은 사람들에게 재미와 감동을 주는 탁월한 작품을 명작이라고 합니다. 그중 시간과 공간을 초월하여 변함없이 사랑받아 온 작품을 고전이라고 하지요.

우리는 어릴 때부터 고전과 명작 읽기의 중요성에 대해 배워왔습니다. 고전 명작이 소중한 이유는 그 안에 인간과 사회에 대한 작가의 치열한 상념이 녹아 있기 때문입니다. 탄탄한 서사 구조 속에 재미와 감동은 물론, 시대를 대변하는 보편적인 가치가 반영되어 있기 때문입니다.

따라서 고전 명작을 읽을 때에는 작품 속 주제 의식이나 작가의 세계관을 올바로 이해하려는 노력이 필요합니다. 작가가 작품을 쓰던 당시의 사회적 배경이 어떠하였는지, 또 작품에서 가장 중요하게 다루고 있는 논쟁거리가 무엇인지에 대해 깊이 고민해야 합니다. 주제, 줄거리 등을 단편적으로 암기하는 것이 아니라 작가와 교감을 통해 인간과 사회에 대한 이해를 넓혀 나가는 것입니다. 이런 노력이 뒷받침되어야 우리는 비로소 고전 명작을 읽었다라고 이야기할 수 있습니다.

〈아이세움 논술 | 명작〉은 고전 명작이 어른들의 전유물이라는 편견을 버리고, 재미있는 삽화와 쉬운 문장으로 구성되어 있습니다. 그리고 작품을 읽기 전에 작품을 둘러싼 시대사적 배경을 알려 주고 읽은 후에는 작품에 대해서 토론하면서 생각할 수 있도록 구성되어 있습니다. 어린 독자들이 고전에 친숙해질 수 있는 기회를 주는 책이라고 생각합니다.

어린 시절에 읽는 양서 한 권이 어린이의 미래를 바꿉니다. 부디 〈아이세움 논술 | 명작〉으로 세계를 바라보는 안목을 높이고 자기만의 세계를 공고히 다져 나가기 바랍니다.

서울대학교 국어국문학과 교수

방민호

명작 읽기의 소중함

열심히 책만 읽기에는 너무 고단한 우리 학생들에게 다시 '논술' 열풍이 불고 있다. 학생들이 스스로 즐겨 그렇게 된 것은 아니지만, 학생들을 위해 결코 나쁜 일이라고만 말할 수는 없을 것이다.

새삼스러운 얘기일 터이지만 좋은 글을 쓸 수 있는 가장 빠른 길은 "많이 읽고(다독多讀) · 많이 쓰고(다작多作) · 많이 생각(다상량多商量)" 하는 삼다(三多)밖에 다른 것이 없다.

먼저 다독이 문제다. 많이 읽는다고 해서 아무 책이나 마구잡이로 읽는 것을 다독이라고 하지는 않는다. 많이 읽되, 좋은 책을 읽을 때 그것이 다독이다. 그렇다면 어떤 책이 좋은 책일까?

우선 고전이라 할 명작에는 사람이 세상을 살면서 알아야 할 온갖 삶의 지혜와 가치가 담겨 있다. 가령 〈지킬 박사와 하이드〉에서는 인간 내면에 혼재해 있는 선과 악의 대립을, 〈동물농장〉

에서는 삶을 한없이 타락시키는 전체주의와 아름다운 삶을 지향하는 인간의 무한한 이상의 끊임없는 갈등과 투쟁에 대한 반추를 해 볼 수 있다. 이런 고전을 재미있게 읽고 생각하는 기회를 갖는 것이 바로 좋은 글을 쓸 수 있는 바탕이다. 문제는 고전이 너무 어렵고 분량이 방대하다는 점이다.

이번에 출간된 〈아이세움 논술 ㅣ 명작〉은 원전의 내용을 재구성해 어린 학생들이 쉽게 고전과 친해지도록 만들었다. 지루함을 덜기 위해 캐릭터를 사용해서 그 캐릭터들과 끊임없이 교감하며 끝까지 책을 손에서 놓지 못하게 만든 것도 이 시리즈의 특색이요 장점일 터이다. 책 뒤에 논술을 학습할 수 있도록 논술 워크북과 가이드북을 제공하여 '학습과 논술'이라는 두 문제를 다 해결할 수 있도록 배려한 점도 주목할 만하다. 어린 학생들이 편안하고 소중한 독서 경험을 하리라 본다.

물론 이 명작선은 완역본이 아니므로 이것만 읽어서는 해당 작품을 제대로 읽었다고 말할 수 없을 것이다. 그러나 훗날 학생들이 성장하여 완역본으로 다시 읽고 올바르게 이해하는 데 큰 도움이 되도록 세심한 배려를 했다.

이 점도 이 시리즈가 귀하고 값진 이유이다.

시인
신경림

| 차 례 |

안녕, 나는 뒤뚱이야.
〈사랑의 학교〉에서 1년 동안
얼마나 신 나는 일이
펼쳐지는지 볼까?

나 번빠리.
엔리코와 친구들이
따뜻한 마음을 나누고
서로 돕는 모습을 보면
참 흐뭇해.

PART 1 명작 살펴보기

만화로 미리 보기 12

어떤 이야기인가요? 14

한눈에 살펴보기 16

이렇게 읽어 보세요! 20

PART 2 명작 읽기

1장 | 10월의 일기 24

2장 | 11월의 일기 47

3장 | 12월의 일기 67

4장 | 1월의 일기 82

5장 | 2월의 일기 94

6장 | 3월의 일기 109

7장 | 4월의 일기 118

8장 | 5월의 일기 131

9장 | 6월의 일기 141

10장 | 7월의 일기 148

PART 3 깊어지는 논술

작품 소개 **164**

작가 소개 **165**

생각의 날개를 펼쳐요! **166**

PART 4 논술 워크북

논술 6단계 **174**

가이드북 **181**

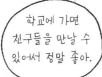

학교에 가면
친구들을 만날 수
있어서 정말 좋아.

사고뭉치
친구들은 없는지
볼까?

박테리아   고로케   튜브   팬티맨

PART 1

PART 1 PART 1

PART 1 PART 1 PART 1

PART 1 PART 1 PART 1 PART 1

PART 1 PART 1 PART 1 PART 1 PART 1

PART 1 PART 1 PART 1 PART 1 PART 1 PART 1

PART 1 PART 1 PART 1 PART 1 PART 1

PART 1 PART 1 PART 1 PART 1

PART 1 PART 1 PART 1

PART 1 PART 1

명작 살펴보기

〈사랑의 학교〉에서 친구들이
얼마나 귀중한 가르침을
배우는지 볼까?

PART 1

명작 살펴보기

4학년이 되는 첫날

방학이 끝나고 엔리코가 4학년이 되는 날이에요. 하지만 엔리코의 마음이 즐겁지만은 않아요. 3학년 때 담임 선생님과 헤어져 새로운 선생님을 만나야 하니까요. 담임 선생님이 무서운 분이면 어떡하죠? 친구들과는 사이좋게 지낼 수 있을까요?

개학 첫날은 언제나 설레고 긴장도 돼요. 엔리코는 선생님이 조금 엄하게 보여서 무척 긴장이 되나 봐요. 하지만 겁먹을 건 없어요. 친구들을 많이 사귀면 하루하루가 신이 날 테니까요. 엔리코는 **어떤 친구들을 사귀게 될까요?**

새로운 담임 선생님과 친구들

개학식 날이 되어 엔리코는 어머니와 함께 학교로 향했어요. 학교는 친구들과 함께 온 부모님들로 발 디딜 틈이 없었지요. 교실로 올라가 자리에 앉으니 새 담임 선생님이 들어왔어요. 담임 선생님은 속마음을 꿰뚫어 보려는 듯이 아이들의 얼굴을 쭉 훑어보았답니다. 엄격해 보이는 선생님을 보자 엔리코는 늘 활짝 웃어 주던 3학년 때 담임 선생님이 그리웠어요.

새로운 담임 선생님에 새로운 친구들까지 긴장된 하루를 보낸 엔리코는 수업이 끝나자마자 어머니에게 달려갔답니다. 어머니는 엔리코를 격려하며 앞으로 즐거운 학교생활이 시작될 거라며 힘내라고 말해 주었어요. 어머니의 말대로 엔리코는 새로운 친구들을 많이 사귀며 뜻깊은 한 학년을 보내게 된답니다.

시끌벅적한 새 학기

엔리코는 4학년이 되는 게 썩 좋지만은 않았어요. 익숙하고 편한 것들을 버리고 낯선 환경에 적응해야 하니까요. 아니나 다를까 엔리코네 반에서는 하루하루 많은 일들이 일어났어요. 시시때때로 말썽을 부리고, 약한 친구를 놀리거나 괴롭히는 친구도 있었어요. 하지만 선생님은 다정하고 인자한 분이었고, 재미있고 마음씨 착한 친구들도 많았어요. 하루하루 기록되는 엔리코의 일기에는 다정한 페르보니 선생님과 사랑스러운 반 친구들이 모두 등장해요. 엔리코의 4학년 생활도 즐거울 것 같지 않나요?

공부도 열심히 하고, 친구들도 많이 사귀어 봐. 그럼 학교생활이 훨씬 즐거워질 거야.

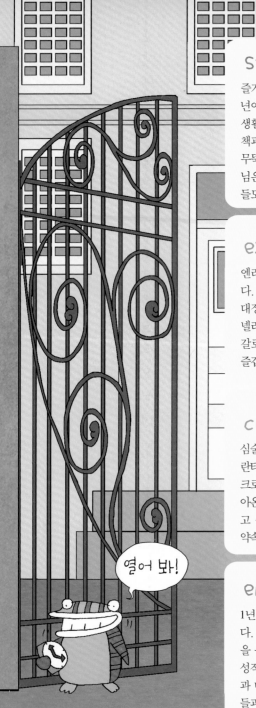

Start 발단

즐거운 방학이 지나고, 엔리코는 4학년이 되어 학교에 간다. 하지만 학교생활이 즐거울 것 같지 않다. 또다시 책과 씨름해야 했고, 새 담임 선생님은 무뚝뚝해 보였다. 그렇지만 담임 선생님은 좋은 분이었고, 재미있는 반 친구들도 많다.

expansion 전개

엔리코는 새로운 친구들을 많이 사귄다. 집안일을 도우며 공부하는 코레티, 대장장이의 아들 프레코시, 곱사등이 넬리, 또래보다 나이가 많고 정의로운 갈로네와 함께 엔리코는 하루하루를 즐겁게 보낸다.

climax 절정

심술궂고 친구들을 못살게 괴롭히던 프란티가 학교에서 쫓겨나고, 감옥에 있던 크로시의 아버지가 출옥하여 집으로 돌아온다. 프레코시의 아버지는 술을 끊고 성실하고 다정한 아버지가 되기로 약속한다.

열어 봐!

ending 결말

1년 뒤 학생들은 마지막 시험을 치른다. 선생님은 시험을 잘 보라고 학생들을 응원하고, 대부분의 아이들은 좋은 성적으로 진급을 한다. 1년 사이에 몸과 마음이 부쩍 성장한 엔리코는 친구들과 아쉬운 작별 인사를 한다.

이렇게 읽어 보세요!

사랑의 마음을 배우는 학교생활

〈사랑의 학교〉의 원래 제목인 '쿠오레'는 '마음'이라는 뜻을 가진 이탈리아 말이에요. '쿠오레'라는 낱말에는 사랑, 우정, 감동, 열정 등의 뜻도 들어 있답니다.

엔리코는 학교생활과 친구들을 통해 친구 사이의 우정뿐만 아니라 부모와 자식 간, 스승과 제자 간, 부자와 가난한 사람들 사이에서 가장 중요한 마음이 무엇인지 하나하나 배울 수 있었어요. 서로의 장점을 본받기 위해 노력하고, 어떤 환경에 있더라도 착하고 성실하게 살아가는 바른 마음가짐을 배우지요.

가난하다고 친구를 무시하지 않고, 진심으로 친구를 위로하고 격려하는 엔리코와 엔리코의 친구들을 통해 '사랑의 마음'이 살아가는 데 얼마나 큰 힘을 주는지 생각해 보세요.

◀ 이탈리아 국민으로서의 자부심과 애국심을 강조한 작품인 〈사랑의 학교〉와 에드몬도 데 아미치스를 기념하여 만든 우표예요.

조국에 대한 깊은 사랑

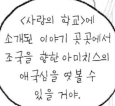

아미치스는 실제로 전쟁터에 나가 이탈리아 독립을 위해 싸우기도 했대.

　이탈리아는 로마가 멸망하면서 여러 나라로 쪼개어졌다가 어렵게 통일을 이룬 나라였어요. 실제로 50년이라는 기나긴 세월 동안 수많은 사람들이 목숨을 바쳐 투쟁한 결과 힘겹게 통일을 이루었지요.

　〈사랑의 학교〉는 이탈리아가 통일되고 나서 얼마 되지 않아 발표된 작품이에요. 작가 아미치스는 이 작품을 통해 아이들도 조국 이탈리아를 사랑하는 마음을 갖기를 바랐어요. 또 통일된 나라에서 사람들이 어떤 마음 자세를 지녀야 하는지 말하고자 했지요. 이탈리아 국민이라는 자부심을 갖고 싸우고 미워하기보다 서로 보듬어 주고 격려해 주는 착한 마음을 갖길 바랐답니다.

　그럼 엔리코와 친구들이 이탈리아 국민으로서 애국심과 바른 마음을 잘 기르는지 한번 볼까요?

〈사랑의 학교〉에 소개된 이야기 곳곳에서 조국을 향한 아미치스의 애국심을 엿볼 수 있을 거야.

◀ 〈사랑의 학교〉의 아름다운 정신을 기념하여 세운 아미치스 초등학교의 모습이에요.

잠시 휴식! 단팥죽을 먹고 〈사랑의 학교〉를 읽어 보세요!

PART 2
PART 2 PART 2
PART 2 PART 2 PART 2
PART 2 PART 2 PART 2 PART 2
PART 2 PART 2 PART 2 PART 2 PART 2
PART 2 PART 2 PART 2 PART 2 PART 2 PART 2
PART 2 PART 2 PART 2 PART 2 PART 2
PART 2 PART 2 PART 2 PART 2
PART 2 PART 2 PART 2
PART 2 PART 2

명작 읽기

사랑의 학교에서는
어떤 걸 배우는지 볼까?

PART 2

명작 읽기

1장
10월의 일기

개학 – 10월 17일 월요일

오늘은 개학식 날이다. 그리고 4학년이 되는 첫날이다. 시골에서 보낸 석 달간의 방학이 벌써 꿈처럼 느껴진다.

오늘 아침 어머니는 나를 바레티 학교까지 데려다 주었다. 나는 발걸음이 가볍지 않았다. 또다시 책과 씨름해야 했고, 정들었던 3학년 담임 선생님이나 친구들과도 헤어져야 했기 때문이다.

거리는 학교로 향하는 아이들로 북적거렸다. 문방구도 마찬가지였다. 좁은 문방구 안은 연필이나 공책을 사려는 학생들로 미어터질 지경이었다.

학교 앞도 새 학기를 맞은 학생들과 함께 온 부모님들로 발 디딜 틈이 없었다. 수위 아저씨 혼자서 길을 트느라 진땀을 뺐다.

교문 앞에 도착했을 때였다. 누군가 내 어깨를 툭 쳤다. 돌아보니 3학년 때 담임 선생님이었다.

"선생님!"

나는 반갑게 인사했다.

"엔리코, 이제는 자주 못 보겠구나."

선생님의 말을 듣고 나니 더 서운했다.

'아, 이제 선생님을 매일 못 만나겠구나.'

한 학년 동안 보살펴 주신 담임 선생님과 헤어지려면 정말 서운하더라.

어머니는 개학식을 마치고 나올 때까지 교문 앞에서 기다리겠다고 했다. 어머니에게 인사를 한 나는 사람들 사이를 비집고 겨우 교문 안으로 들어설 수 있었다. 아이들 손을 잡은 어른들이 다른 한 손에 진급^{進級} 통지서

진급(進級): 계급, 등급, 학년 따위가 올라감.

를 들고 교문 앞에서 이것저것 당부를 하고 있었다.

휴게실과 계단도 마찬가지로 소란스러웠다. 그래도 오랜만에 학교 휴게실에 오니 반가웠다. 지난 3년 동안 매일 이 휴게실을 지나 교실로 올라 다녔다.

2학년 때 담임 선생님이 나를 보고 인사를 건넸다.

"엔리코, 4학년이 되었으니 2층으로 가겠구나. 이제 복도에서 마주치기도 힘들겠네."

선생님은 아쉬운 표정을 지었다.

교장 선생님은 학부모들에게 둘러싸여 있었다. 교장 선생님은 그사이 흰머리가 더 많아진 것 같았다.

1층에서는 갓 입학한 1학년 학생들이 참새처럼 재잘거리고 있었다. 어떤 아이들은 반 편성編成이 끝났는데도 교실에 들어가기 싫다며 떼를 썼다. 교실 밖으로 도망을 치거나 부모님과 헤어지기 싫어서 우는 아이도 있었다. 학부모들은 도망간 아이들을 붙잡아 혼을 내기도 하고, 우

편성(編成) : 예산, 조직, 대오 따위를 짜서 이룸.

는 아이를 달래기도 했다. 선생님들은 어찌해야 좋을지 몰라 발만 동동거렸다.

내 동생은 델카티 선생님 반이 되었고, 나는 페르보니 선생님 반이 되었다. 나는 동생과 헤어져 2층으로 올라갔다. 아이들이 다 모이니 10시가 되었다.

'휴, 시골에서 지낼 때는 참 좋았는데⋯⋯.'

나는 자리에 앉아 즐거웠던 방학을 떠올리며 새 담임 선생님을 기다렸다.

잠시 뒤, 새 담임 선생님인 페르보니 선생님이 교실로 들어왔다. 키가 무척 큰 페르보니 선생님은 목소리가 굵었다. 잿빛 머리카락에 이마에는 주름살이 깊게 패여 있었고, 눈매는 날카로웠다. 페르보니 선생님은 우리의 마음속을 다 꿰뚫어 보려는 듯 한 사람 한 사람 찬찬히 살펴보았다. 딱딱하고 엄한 표정 때문에 나도 모르게 긴장이 됐다.

엔리코, 새 학기가 시작되었으니 각오를 새롭게 다지라고!

'휴, 1년을 어떻게 견뎌 내지? 이제 개학식이니 4학년이 끝나려면 한참 남았잖아.'

나는 교문 밖에 있는 어머니에게 빨리 가고만 싶었다. 그래서 개학식이 끝나자마자 쏜살같이 달려갔다.

"힘내렴, 엔리코!"

어머니가 내 마음을 알고 따뜻하게 안아 주었다. 그러자 기분이 조금 좋아졌다. 하지만 3학년 때 담임 선생님을 자주 볼 수 없을 테니, 예전처럼 학교 생활이 즐겁지 않을 것 같다.

우리 선생님 - 10월 18일 화요일

내 예상은 틀렸다. 페르보니 선생님은 좋은 분이었다. 아침에 교실에 들어서니 선생님은 벌써 우리를 기다리고 있었다. 전에 선생님이 맡았던 반 아이들이 선생님을 보려고 교실을 들락날락했다.

"안녕하세요, 페르보니 선생님!"

"페르보니 선생님, 자주 찾아뵐게요!"

어떤 아이는 인사만 하고 사라졌고, 어떤 아이는 선생님의 손을 다정하게 잡아 보고 나서 교실을 나갔다. 아이들 모두 선생님을 좋아했고, 선생님과 함께했던 작년으로 돌아가고 싶어 하는 것 같았다.

"안녕, 방학 동안 잘 지냈니?"

엄한 선생님인 줄 알았는데, 이렇게 다정한 분이었네.

페르보니 선생님도 아이들의 손을 잡아 주며 다정하게 인사했다.

잠시 뒤, 수업이 시작되었다. 페르보니 선생님은 받아쓰기 문제를 부르면서 책상 사이를 오갔다. 그러다 부스럼이 나서 얼굴이 벌게진 아이를 보더니 받아쓰기를 멈추었다.

"괜찮니?"

선생님은 그 아이의 얼굴을 쓰다듬어 주고, 이마에 손을 얹어 열이 있는지 살펴보았다.

그때 한 아이가 책상에 올라가 선생님을 흉내 냈다. 때마침 고개를 돌린 선생님이 그 아이를 보았다. 아이는 깜짝 놀라서 얼른 내려가 자리에 앉았다. 불호령이 떨어질 것이라 생각한 우리는 숨을 죽이고 있었다. 하지만 선생님은 그 아이의 머리에 손을 얹으며 조용히 타일렀다.

"다시는 그러지 마라."

선생님은 그 한마디만 하고 받아쓰기 문제를 마저 냈다. 받아쓰기가 끝나자 페르보니 선생님이 우리를 돌아보며 말했다.

"모두 잘 들으렴. 우리는 앞으로 1년 동안 함께할 거야. 그러니 모두 사이좋게 지내도록 해라. 또 열심히 공부하고 착하게 지내길 바란다. 선생님은 작년에 어머니가 돌아가셔서 가족이 없단다. 이제 너희들이 내 가족이나 마찬가지야. 나에게 너희만큼 소중한 사람은 없단다. 나는 누구에게도 벌을 주고 싶지 않아. 그러니 착한 아이들이라는 걸 보여 다오. 우리는 한 가족이 될 것이고, 나는 너희를 자랑스러워할 거야. 물론 너희에게 억지로 강요하

소중(所重) : 매우 귀중함.

지는 않겠다. 너희들은 벌써 마음속으로 그러겠다고 대답했을 테니 말이다."

그때 수위 아저씨가 와서 수업 시간이 끝났다고 전했다. 우리는 조용히 일어나 밖으로 나왔다. 하지만 선생님을 흉내 냈던 아이는 바로 교실을 나오지 않고 선생님에게 다가가 말했다.

"선생님, 아까는 제가 잘못했어요."

선생님은 그 아이의 이마에 입을 맞추어 주며 말했다.

"괜찮다. 가서 친구들과 놀아라."

불행한 사고 – 10월 21일 금요일

오늘은 아버지와 학교에 갔다. 사람들이 교문 앞에 모여서 웅성거리고 있었다.

"무슨 일이 생겼나 보구나."

아버지는 내 손을 잡고 교문 안으로 들어섰다. 휴게실에 학부모와 아이들이 가득 모여 있었다. 모두들 걱정스러운 표정이었다. 휴게실 안쪽에서 경찰관과 이야기를 나

누는 교장 선생님이 보였다.

잠시 뒤, 키 큰 신사가 휴게실로 들어왔다.

"의사 선생님이 오셨어."

사람들이 그 신사를 보고 속삭였다. 아버지가 옆 사람을 붙들고 물었다.

"도대체 무슨 일입니까?"

"어떤 아이가 마차에 치었어요."

마차에 치인 아이는 2학년 로베티라고 했다. 1학년 아이가 마차에 치이려는 걸 로베티가 보고 뛰어들었다고 한다. 1학년 아이는 멀쩡했지만, 로베티는 그만 한쪽 다리를 다치고 말았다.

그때 한 아주머니가 휴게실로 허겁지겁 달려 들어왔다. 로베티의 어머니였다.

"우리 아이, 우리 아이는 어디 있죠?"

로베티의 어머니가 다급하게 아들을 찾자 휴게실에 있던 한 부인이 가까이 다가가 어깨를 끌어안았다. 로베티가 구한 1학년 아이의 어머니였다. 두 어머니는 부둥켜안고 교장실로 들어갔다.

"아, 로베티……."

교장실 안에서 울부짖는 소리가 들려왔다.

그때 교문 앞에 마차가 도착했다. 교장 선생님이 로베티를 안고 교장실 밖으로 나왔다. 로베티는 눈을 감고 교장 선생님의 어깨에 얼굴을 파묻고 있었다. 교장 선생님이 로베티에게 뭔가를 속삭이자, 로베티가 힘겹게 고개를 들었다. 그 모습을 보고 사람들이 박수를 쳤다.

"장하다, 로베티!"

"훌륭한 일을 했다, 로베티!"

사람들은 로베티에게 다가가 입을 맞추었다. 로베티가 개미만 한 목소리로 말했다.

"내 가방, 내 가방은 어디 있어요?"

1학년 아이의 어머니가 손수건으로 눈물을 닦으며 가방을 들어 보였다.

"로베티, 내가 가지고 있으니 걱정하지 마라."

로베티의 어머니도 부축을 받으며 교장실에서 나왔다.

교장 선생님은 로베티를 조심스럽게 안고 교문 밖에서 대기하고 있던 마차에 올라탔다. 마차는 로베티의 어머니가 올라타자마자 곧장 병원으로 출발했다. 우리는 로베티가 얼른 낫기를 바라며 교실로 돌아왔다.

전학생 − 10월 22일 토요일

페르보니 선생님은 로베티가 당분간 목발을 짚어야 한다고 말했다. 그때 교장 선생님이 우리 또래 아이 한 명을 데리고 교실로 들어섰다.

"페르보니 선생님, 전학생轉學生이 있습니다."

교장 선생님은 페르보니 선생님에게 뭔가를 속삭이고는 밖으로 나갔다.

전학생은 겁먹은 듯 눈을 껌벅이며 우리를 바라보았다. 페르보니 선생님이 전학생의 손을 잡으며 말했다.

"얘들아, 기쁜 소식을 전하마. 여기서 800킬로미터나

전학생(轉學生) : 다니던 학교에서 다른 학교로 학적을 옮긴 학생.

떨어진 칼라브리아에서 전학생이 왔다. 모두 환영해 주길 바란다. 칼라브리아는 이탈리아에서도 정말 아름다운 곳이야. 게다가 그곳에서는 훌륭한 사람들이 많이 태어났단다. 앞으로 쓸쓸하지 않도록 너희가 잘 대해 주어라. 이탈리아 소년이라면 우리나라 어디를 가더라도 외롭지 않아야 한다. 우리 모두 한 형제라는 걸 보여 다오."

칼라브리아는 장화 모양의 이탈리아 지도에서 앞굽에 해당하는 반도에 위치한 주란다.

선생님은 이렇게 말하며 데로시를 불렀다.

"데로시, 앞으로 나오너라."

데로시는 앞으로 걸어 나가 칼라브리아에서 온 소년과 마주 섰다.

"우리 반을 대표해서 네가 이 친구를 환영해 줄 수 있겠니?"

데로시는 고개를 끄덕이고 전학생을 안으며 인사했다.

"만나서 반가워."

칼라브리아 소년도 데로시의 두 뺨에 입을 맞추었다. 우리는 전학생을 환영하며 크게 박수를 쳤다.

페르보니 선생님은 칼라브리아 소년을 직접 자리까지 안내해 주었다.

잠시 뒤, 선생님이 우리에게 다시 말했다.

"우리는 이탈리아의 통일을 위해 50년 동안이나 싸웠고, 3만 명이나 되는 많은 사람이 목숨을 잃었다. 너희는 한가족이나 다름없다. 따라서 서로 존중하고 사랑해야 한다. 같은 고향 친구가 아니라고 괴롭힌다면, 그 아이는 이탈리아 국기를 바라볼 자격이 없다. 명심하렴."

칼라브리아 소년이 자리에 앉자마자 옆에 앉은 친구들이 연필과 공책 등을 선물로 주었다. 맨 뒷자리에 앉은 아이는 스웨덴 우표를 선물했다.

우리 반 친구들 - 10월 25일 화요일

전학생에게 우표를 준 아이는 갈로네였다. 갈로네는 우리 반에서 가장 키가 크고 나이도 나보다 두 살이나 많다.

나는 갈로네를 보자마자 좋아할 수밖에 없었다. 사실 다른 아이들도 갈로네를 다 좋아한다. 웃는 모습만 봐도 갈로네가 얼마나 착한 친구인지 알 수 있다.

갈로네 말고도 나는 여러 명의 친구를 사귀었다. 그중에는 밤색 스웨터를 입고 고양이 털 모자를 쓰고 다니는 코레티도 있다. 코레티는 언제나 명랑하다. 아버지는 나무 장수인데, 전쟁 중에 훈장을 세 개나 받았다고 한다.

곱사등이 꼬마 넬리도 사귀었다. 안타깝게도 넬리는 몸이 무척 약하고, 얼굴빛도 늘 창백하다. 보티니란 친구는 늘 멋지게 옷을 차려입고 다닌다. '꼬마 벽돌공'이라는 별명別名을 가진 안토니오는 바로 내 앞자리에 앉는다. 아버지가 벽돌공이라 그런 별명이 붙었다. 꼬마 벽돌공은 토끼 흉내를 똑같이 낸다. 아이들은 꼬마 벽돌공이 토끼 흉내를 낼 때마다 웃음을 터뜨렸다.

별명(別名): 사람의 외모나 성격 따위의 특징을 바탕으로 남들이 지어 부르는 이름.

꼬마 벽돌공 옆에는 키가 큰 가로피가 앉아 있다. 코는 올빼미 부리 같고, 눈은 아주 작다. 가로피는 펜촉이나 그림, 성냥갑 같은 온갖 잡동사니를 호주머니에 넣고 다니면서 아이들에게 판다.

한쪽 팔을 못 쓰는 크로시도 있다. 크로시는 팔이 고정되도록 붕대로 감아서 어깨에 걸어 메고 다닌다. 크로시의 아버지는 미국에 돈을 벌러 갔고 어머니는 학교 근처에서 채소 장사를 한다.

내 왼쪽에는 스타르디라는 친구가 있다. 스타르디는 키가 작고 뚱뚱한 데다가 목도 짧다. 무뚝뚝한 편이고, 선생님의 말을 빨리 알아듣는 편이 아니다. 하지만 선생님 말에 누구보다 열심히 귀를 기울인다.

스타르디 옆에는 항상 인상을 찌뿌리고 다니는 프란티가 있다. 프란티는 다른 학교에서 사고를 치는 바람에 퇴학을 당했다고 한다.

항상 똑같은 옷을 입고 다니는 쌍둥이 형제도 있다. 아직 누가 형이고 동생인지 헷갈린다.

우리 반에서 가장 똑똑하고 깔끔한 아이는 데로시다. 데로시는 올해에도 1등을 놓치지 않을 것이다.

나는 대장장이 아들 프레코시도 좋아한다. 안타까운 사실은 프레코시의 아버지가 걸핏하면 프레코시를 때린다는 것이다. 프레코시는 누군가가 무엇을 물어보거나 어깨를 스치기만 해도 착하고 슬픈 눈동자로 '미안해.' 하고 말한다.

용감한 갈로네 – 10월 26일 수요일

오늘 아침 나는 갈로네가 어떤 아이인지 더 확실히 알았다. 아침에 교실에 들어섰을 때 페르보니 선생님은 자리에 없었다.

"야, 크로시, 네 모습이 얼마나 우스꽝스러운지 좀 봐."

아이들 몇 명이 크로시를 흉내 내며 괴롭혔다. 아이들은 크로시를 자로 쿡쿡 찌르고 주워 온 밤송이를 던졌다. 크로시는 금방이라도 울음을 터뜨릴 듯한 표정이었다. 크로시의 아버지는 6년 전 미국에 돈을 벌러 가서 지금까지 연락이 없다고 했다. 어머니는 채소 장사를 해서 힘겹게 크로시를 키웠다.

아이들의 장난은 점점 심해졌다. 한쪽 팔을 못 쓰는 크로시를 흉내 내며 놀리는 친구도 있었다. 프란티는 책상에 올라가 크로시의 어머니를 우스꽝스럽게 흉내 냈다. 어머니가 두 개의 채소 바구니를 들고 크로시를 데리러 오는 모습이었다. 아이들은 그 모습을 보고 크게 웃음을 터뜨렸다.

약한 친구를 괴롭히다니! 그 친구가 얼마나 가슴 아플지 한번 생각해 봐.

"그만해!"

화가 난 크로시가 자리에서 벌떡 일어나더니, 책상 위에 있던 잉크병을 프란티에게 집어 던졌다. 프란티는 재빨리 몸을 피했다. 그 바람에 교실 문을 열고 들어온 페르보니 선생님의 가슴으로 잉크병이 곧장 날아갔다. 아이들은 모두 놀라 자리로 돌아갔다. 선생님은 교탁 앞에 서서 화난 목소리로 물었다.

"누구 짓이냐?"

우리는 입을 꾹 다물고 대답하지 않았다. 선생님은 더 큰 목소리로 물었다.

"누가 잉크병을 던졌지?"

그때 갈로네가 대답을 하며 일어섰다.

"제가 그랬습니다."

우리는 놀라서 입이 떡 벌어졌다. 우리의 표정을 보고 선생님이 고개를 흔들며 말했다.

"네가 한 짓이 아니란 걸 안다. 벌을 주려는 게 아니니 누가 잉크병을 던졌는지 어서 말해라."

그러자 크로시가 울면서 자리에서 일어났다.

"제가 그랬어요. 아이들이 저를 놀렸어요. 너무 화가 나서 저도 모르게 그만……."

선생님은 크로시를 야단치지 않았다.

"음……, 알았다. 자리에 앉아라."

선생님이 교실을 둘러보며 다시 말했다.

"크로시를 놀린 아이들은 다 일어나라."

네 명의 친구들이 고개를 숙이고 일어났다.

"너희는 친구를 괴롭혔다. 약한 친구를 괴롭히거나 놀리는 것은 가장 비겁하고 부끄러운 짓이다. 너희 잘못을 스스로 반성反省했으면 좋겠구나."

선생님은 책상 사이를 지나 갈로네에게 갔다. 그리고 고개를 푹 숙이고 있는 갈로네에게 말했다.

"갈로네, 너는 친구를 위해 큰 용기를 냈다. 너는 오늘 훌륭한 일을 한 거야."

갈로네는 고개를 들고 선생님에게 무언가 귓속말을 했다. 선생님은 웃으며 교탁으로 가더니, 네 명의 친구를 보고 말했다.

"너희들, 이번에는 용서해 주마."

반성(反省) : 자신의 언행에 대하여 잘못이나 부족함이 없는지 돌이켜 봄.

2장
11월의 일기

굴뚝 청소부 – 11월 1일 화요일

우리 학교 옆에는 여학교가 있다. 오늘 여학교 앞을 지나면서 나는 아름다운 풍경을 보았다.

나이 어린 굴뚝 청소부가 담벼락에 기대어 울고 있었는데, 그 모습을 보고 3학년 여학생 몇 명이 소년에게 다가가 물었다.

"왜 울고 있니?"

소년은 대답하지 않고 계속 울기만 했다.

"무슨 일이야? 왜 여기서 울고 있는 거니?"

여학생들이 다정하게 묻자 그제야 소년이 고개를 들었

솔도(soldo)는 옛날 이탈리아에서 사용하던 동전의 단위 중 하나야.

다. 시커먼 얼굴은 눈물범벅이었다.

"굴뚝을 청소해서 30솔도를 벌었는데 주머니가 찢어져서 잃어버렸어요. 돈 없이 들어가면 주인에게 매를 맞는데……."

소년은 또다시 울음을 터뜨렸다. 여학생들은 동정同情 어린 눈으로 소년을 바라보았다. 그 사이 다른 여학생들이 더 모여들었다. 그때 한 여학생이 2솔도를 꺼내며 말했다.

"우리 이 불쌍한 아이를 도와주자. 내가 가진 것은 이것뿐이야."

"여기 나도 2솔도가 있어!"

붉은 옷을 입은 여학생이 주머니에서 동전을 꺼내며 말했다. 몇몇 여학생들도 용돈을 내놓았다.

"아멜리아! 루이자! 안나! 너희도 이리 와 봐. 누구 돈 가진 사람 없니?"

동정(同情) : 남의 어려운 처지를 자기 일처럼 딱하고 가엾게 여김.

여기저기서 친구를 부르는 소리가 들렸다.

"열셋, 열넷, 열다섯…… 아직도 모자라."

키가 큰 여학생 한 명이 은화 한 닢을 내자, 모두가 뛸 듯이 기뻐했다. 그래도 5솔도가 모자랐다.

"곧 5학년 수업이 끝날 거야. 그러면 학생들이 더 나오니까 부탁해 보자."

잠시 뒤, 5학년 여학생들이 교문 밖으로 우르르 몰려나왔다. 그리고 다시 동전이 쏟아졌다. 수많은 학생들이 굴뚝 청소부를 에워싸고 있는 모습은 정말 아름다웠다.

30솔도는 이미 다 모아졌지만 돈은 계속 쏟아졌다. 돈이 없는 여학생들은 소년에게 꽃을 주었다.

"교장 선생님이 나오신다!"

여학생들은 뒷짐을 지고 나오는 교장 선생님을 보고 뿔뿔이 흩어졌다.

굴뚝 청소부는 두 손 가득 모인 동전을 보며 어리둥절한 표정이었다. 소년이 입은 옷의 단추 구멍과 호주머니, 모자는 꽃으로 화려하게 장식되어 있었다.

내 친구 갈로네 – 11월 4일 금요일

갈로네는 병을 앓는 바람에 2년 늦게 학교에 들어왔다. 그래서 우리 반에서 키가 가장 크고 책상도 한 손으로 들을 수 있을 만큼 힘도 세다.

갈로네는 언제나 점잖게 앉아 있다가도 나와 눈이 마주치면 반갑게 눈웃음을 짓는다. 그때마다 나는 갈로네가 이렇게 말하는 것 같아 기분이 좋아진다.

'엔리코, 우리는 친구지?'

갈로네가 웃는 모습은 친근하면서도 사랑스럽다. 팔다리가 길어서 옷은 작아 보이고, 머리 위에 비스듬히 얹힌 모자는 금방이라도 떨어질 것 같다.

갈로네는 다른 아이들이 심하게 농담을 하고 장난을 걸어도 절대 화내지 않는다. 하지만 잘못된 일이 있을 때는 용감하게 나서서 의견을 말하곤 한다.

토요일 아침, 공책 살 돈을 잃어버리고 길에서 울고 있는 아이에게 갈로네는 선뜻 가지고 있는 돈을 건네주었다. 또 어머니의 생일에 자그마치 8장이나 되는 편지를

쓸 정도로 마음이 따뜻하다. 편지는 사흘이
나 걸려서 완성했다고 한다.

선생님들도 그런 갈로네를 흐뭇하게 생각
하고, 친구들은 갈로네를 존경한다. 나도 마음
씨 따뜻하고 용감한 갈로네가 좋다. 갈로네
는 친구를 위해서라면 목숨도 버릴 만큼 의
리 있는 아이다.

숯장수와 귀족 – 11월 7일 월요일

카를로 노비스는 아버지가 귀족이라며 잘난 척을 하는
아이다. 어제 아침 노비스가 숯장수 아들인 베티와 말다
툼을 벌였다. 노비스는 자기가 잘못했는데도 계속해서 고
집을 부리다가 할 말이 없어지자 이렇게 외쳤다.

"가난뱅이 숯장수 아들은 정말 싫어!"

그 말을 들은 베티의 얼굴이 새빨개졌다. 눈에는 눈물
이 그렁그렁 맺혔다. 베티가 집으로 돌아가 아버지에게
학교에서 있었던 일을 이야기했는지, 다음 날 베티의 아버지가 선생님을 찾아와 그 일에 대해 물었다. 마침 노비스의 아버지가 아들을 데려다 주러 왔다가 교실 밖에서 노비스의 이름을 듣고 안으로 들어왔다.

노비스의 아버지가 심각한 표정으로 물었다.

"선생님, 우리 아이가 무슨 잘못을 저질렀습니까?"

"아, 노비스 아버님, 오셨군요. 이분은 베티의 아버님입니다. 어제 노비스가 베티에게 '가난뱅이 숯장수 아들'이라고 함부로 말해서 이렇게 찾아오셨답니다."

페르보니 선생님은 노비스의 아버지에게 어제 있었던 일을 자세히 이야기했다.

"네가 정말 그런 말을 했니?"

노비스의 아버지가 얼굴을 찡그리며 아들에게 물었다. 노비스는 고개를 숙이고 아무 말도 하지 못했다. 노비스의 아버지는 아들의 팔을 잡아당겨 베티 앞에 서게 했다.

"어서 친구에게 사과해라."

"아, 아닙니다. 그러지 않으셔도 됩니다."

베티의 아버지가 오히려 손을 내저으며 말렸다. 그러나

노비스의 아버지는 더욱 엄하게 아들에게 말했다.

"당장 사과하지 못하겠니? '네 아버지와 너를 욕해서 정말 미안해.'라고 진심으로 사과하려무나."

노비스는 기어 들어가는 목소리로 베티에게 말했다.

"베티, 너와 네 아버지를…… 욕해서 정말…… 미안해. 용서해 줘."

그러자 귀족인 노비스의 아버지가 숯장수인 베티의 아버지에게 손을 내밀었다. 베티의 아버지는 노비스의 아버지와 악수를 한 뒤, 베티에게 노비스를 안아 주라고 했다.

"저 아이들을 같이 앉혀 주십시오."

노비스의 아버지가 선생님에게 부탁했다. 그리고 두 아이가 나란히 앉는 것을 보고 나서야 교실을 떠났다. 베티의 아버지도 노비스의 머리를 살짝 쓰다듬어 주고 밖으로 나갔다.

선생님은 흐뭇하게 웃으며 우리에게 말했다.

"오늘 본 것을 잘 기억해 두어라. 이것이야말로 올해 너희가 배운 가장 멋진 공부일 것이다."

부지런한 코레티 − 11월 13일 일요일

오늘은 어머니에게 버릇없이 굴어서 아버지에게 혼이 났다. 어머니는 내가 우울해하자 잠시 산책을 다녀오라고 했다.

시내를 걷고 있는데, 뒤에서 누군가가 내 이름을 불렀다. 고양이 털 모자를 쓴 코레티였다. 코레티는 장작을 가득 짊어지고 있었다. 마차에서 장작을 받아 아버지 가게에 쌓는 중이었다.

코레티는 땀을 뻘뻘 흘리고 있었지만 아주 즐거워 보였다. 그리고 장작을 나르면서 뭔가를 계속 중얼거렸다.

"뭘 중얼거리는 거니, 코레티?"

"보면 모르니? 예습豫習하고 있잖아."

코레티의 대답이 하도 엉뚱해서 나도 모르게 웃음이 나왔다. 하지만 코레티는 매우 진지했다.

"이렇게라도 하지 않으면 공부할 시간이 없어. 아버지

예습(豫習) : 앞으로 배울 것을 미리 익힘.

는 배달하러 가셨고 어머니는 몸이 편찮으시거든. 그래서 내가 장작을 나르는 거야. 가게에 잠깐 들렀다 갈래?"

"좋아!"

나는 특별히 할 일이 없어서 코레티를 따라 가게 안으로 들어섰다. 가게 안에는 나뭇단이 가득 쌓여 있었다.

"오늘은 정말 바빴어. 문법 공부를 하고 있는데 손님이 찾아왔어. 손님이 가고 다시 숙제(宿題)를 하려는데 이번에는 마차가 나뭇단을 실어 왔지 뭐야. 아침에도 두 번이나 시장에 다녀왔어."

말을 하면서도 코레티는 바닥에 떨어진 나뭇잎을 열심히 쓸어 모았다.

"그럼 숙제는 어디서 하니?"

"숙제? 따라와 봐."

코레티는 나를 가게 뒤쪽에 있는 부엌으로 안내했다. 부엌 한쪽에는 식탁이 놓여 있고, 그 위에 코레티의 책과

숙제(宿題) : 학생들에게 복습이나 예습을 위하여 집에서 하도록 내 주는 과제.

공책이 펼쳐져 있었다.

"아참, 숙제를 아직 다 못 했지. '가죽으로 된 물건을 쓰시오.'라고? 가죽으로 된 물건이라……. 구두, 허리 띠…… 아, 가방도 있지!"

코레티는 공책에 또박또박 글씨를 썼다. 그때 앞쪽 가게에서 목소리가 들려왔다.

"여보세요, 주인 없나요?"

"네, 지금 나갑니다!"

코레티는 연필을 놓고 급히 뛰어나가 손님을 맞았다. 나는 코레티를 따라다니느라 정신이 하나도 없었다. 코레티는 장작 무게를 재서 손님에게 주고 돈을 받았다. 그리고 다시 부엌으로 가서 숙제를 했다.

잠시 뒤, 난로 위에 놓인 커피 주전자의 뚜껑이 시끄럽게 들썩거렸다.

"코레티, 커피가 넘칠 것 같아."

"아참, 어머니께 커피를 갖다 드려야 해. 엔리코, 너도 같이 갈래? 어머니께서 너를 보면 좋아하실 거야."

코레티와 나는 커피를 들고 방으로 갔다. 코레티의 어머니는 침대에 누워 있었다.

"어머니, 커피 가져왔어요."

"고맙구나, 코레티! 애는 누구니?"

코레티의 어머니가 나를 보고 물었다.

"제 친구 엔리코예요."

"그래? 놀러 왔나 보구나. 그런데 어쩌지? 코레티가 집안일 때문에 바빠서 같이 놀지도 못하니⋯⋯."

코레티의 어머니가 미안해하며 말했다. 그 사이에도 코레티는 어머니의 등 뒤에 베개를 놓아 주고, 침대보를 정리하고, 난롯불이 잘 타는지 살폈다.

코레티는 정말 잠시도 쉴 틈이 없구나. 그래도 불평 한마디 하지 않는 걸 보니 기특해.

"어머니, 약은 드셨어요? 약이 다 떨어졌으면 약국에 가서 사 올게요. 장작은 다 쌓아 놓았어요. 참, 4시에 난로 위에 고기를 올려놓으라고 하셨지요? 버터 장수가 오면 외상값을 주어야 하고요. 어머니께서 알려 주신 대로 빠뜨리지 않고 다 해 놓을 테니까 걱정 말고 푹 쉬세요."

"고맙다, 코레티."

코레티의 어머니는 웃으며 아들을 바라보았다.

방을 나온 우리는 부엌으로 돌아왔다.

"나머지 숙제는 밤에 해야겠다. 숙제를 하다 보면 잘 시간이 모자라……. 엔리코, 넌 행복하겠다. 공부할 시간이 충분하잖아. 이렇게 산책도 할 수 있고 말이야."

코레티는 명랑하게 말하고는 가게로 가서 톱으로 장작을 켰다.

"일을 다 해 놓으면 아버지께서 좋아하실 거야. 어, 마차가 또 오네."

나무를 가득 실은 마차가 다가오자 코레티는 밖으로 뛰어나가려다 되돌아서서 나에게 작별 인사를 했다.

"엔리코, 이젠 얘기할 시간이 정말로 없어. 내일 학교에서 보자. 같이 있어 줘서 고마워."

코레티는 마차를 향해 재빨리 뛰어갔다. 집안일을 돕느라 힘들 텐데도 즐겁고 씩씩해 보였다.

'코레티, 넌 나보고 행복할 거라고 했지만, 행복한 건 너야. 너는 일도 즐겁게 하고, 공부도 열심히 하잖아.'

코레티를 보니 내 마음까지 밝아졌다.

넬리와 갈로네 – 11월 23일 수요일

넬리는 착하고 공부도 열심히 하는 아이다. 하지만 몸이 비쩍 마른 데다 얼굴빛도 창백하다. 곱사등이라 숨 쉬는 것도 힘들어한다. 넬리의 어머니는 수업이 끝날 때쯤 교문 앞으로 와서 넬리를 기다린다. 몸이 약한 넬리가 늘 걱정이 되기 때문이다.

사실 우리 반 아이들은 넬리를 자주 놀린다. 하지만 넬리는 아이들이 놀려 대도 꾹 참고, 어머니가 슬퍼할까 봐 이르지도 않는다.

어느 날 아침, 몇몇 아이들이 또다시 넬리를 괴롭히기 시작했다. 넬리는 자리에 앉아 고개를 푹 숙인 채 화를 참 있다. 그런데 그날따라 아이들이 좀 유별나게 놀려 댔다. 결국 넬리는 책상에 얼굴을 파묻고 울음을 터뜨렸다. 그때 맨 뒤에 앉아 있던 갈로네가 벌떡 일어났다.

"다들 그만둬! 이제부터 누구든 넬리를 건드리면 내가 가만두지 않겠어. 혼을 낼 테니 단단히 각오覺悟해."

다른 아이들은 금방 꼬리를 내렸지만, 프란티는 갈로네의 말을 못 들었는지 계속 넬리를 괴롭혔다. 그러자 갈로네가 자리를 박차고 프란티에게 달려가 주먹을 날렸다. 그날 이후 아무도 넬리를 놀리지 못했다.

페르보니 선생님은 넬리와 갈로네를 나란히 앉혔다. 넬리는 갈로네를 아주 좋아했다. 학교에 오면 갈로네가 왔는지 살펴보고, 집에 갈 때도 꼭 갈로네에게 인사했다.

"잘 가, 갈로네. 내일 또 만나자."

갈로네는 세심하게 넬리를 보살펴 주었다. 넬리가 연필이나 공책을 떨어뜨리면 얼른 주워 주고, 넬리의 가방을

각오(覺悟) : 앞으로 해야 할 일이나 겪을 일에 대한 마음의 준비.

챙겨 주거나 겉옷 입는 것을 도와주었다.

오늘 나는 교장실에 심부름을 갔다가 넬리의 어머니를
보았다.

"교장 선생님, 제 아들 반에 갈로네라는 아이가 있습니
다. 잠깐만 불러 주시면 고맙겠습니다."

교장 선생님은 수위 아저씨를 교실로 보내 갈로네를 불
러오라고 말했다. 잠시 뒤 갈로네가 놀라서 달려왔다.

넬리의 어머니는 갈로네를 보자마자 다가가서 꼭 껴안
으며 말했다.

"네가 갈로네구나. 우리 넬리를 늘 보호하고 챙겨 줘서
정말 고맙다!"

넬리가 집에 가서 어머니에게 갈로네의 이야기를 한 게
분명했다. 넬리의 어머니는 목에 걸고 있던 십자가 목걸
이를 풀어 갈로네에게 걸어 주었다.

"내 마음이니 받아 주렴. 앞으로도 우리 넬리를 잘 부
탁한다."

3장
12월의 일기

장사꾼 가로피 – 12월 1일 목요일

가로피가 우리 집에 놀러 왔다. 코가 올빼미 부리 같고 눈이 작은 가로피는 아주 재미있는 친구다.

아버지가 잡화상을 해서인지 가로피는 돈 계산하는 걸 좋아한다. 주머니에 동전을 넣고 다니면서 잡히는 대로 꺼내 얼마인지 알아맞히는 놀이를 한다.

가로피는 1솔도를 매우 아껴 쓰고, 동전 하나를 잃어버리면 일주일 내내 교실을 뒤진다. 헌 신문을 모아 재활용 가게에 팔기도 한다. 친구들에게 잡동사니를 사거나 팔아 돈을 남긴다. 2솔도에 물건을 사서 4솔도에 되파는 식으로 이윤利潤을 남기는 것이다. 연필 따먹기를 해도 절대 지지 않는다. 가로피가 무엇보다 좋아하는 것은 우표 수집이다. 우표로 큰 돈을 벌 것처럼 우표를 보물처럼 여겼다. 친구들은 그런 가로피를 노랑이라며 놀렸지만 나는 가로피가 좋았다.

우리는 저울에 물건을 달며 시장 놀이를 했다. 가로피는 물건 값을 정확히 알았고, 저울도 능숙하게 다뤘다. 또 종이 봉지도 잘 만들었는데, 가게 점원보다 빨리 만들 정도였다. 나는 그런 가로피를 보며 끊임없이 감탄했다.

"나는 학교를 졸업하자마자 장사를 하고 싶어. 특별히 생각해 놓은 장사도 몇 가지 있어."

나는 가지고 있던 외국 우표 몇 장을 가로피에게 주었다. 가로피는 함박웃음을 지으며 말했다.

"엔리코, 너 이 우표들이 얼마짜리인지 아니? 내가 이 우표들을 얼마에 팔지 알면 좀 배가 아플걸!"

이윤(利潤): 장사 따위를 하여 남은 돈.

가로피는 눈빛을 반짝이며 우표에 관한 이야기를 한없이 늘어놓았다. 신문을 읽고 있던 아버지도 가로피의 이야기에 흥미가 생겼는지 귀를 기울였다.

코레티는 가로피가 우표들을 자기 어머니와도 안 바꿀 거라며 흉을 보기도 했다. 하지만 아버지는 전혀 그렇게 생각하지 않았다.

"가로피는 우표를 유달리 좋아하는 것뿐이야. 마음씨는 따뜻한 아이 같구나."

첫눈 온 날 – 12월 10일 토요일

어제저녁부터 함박눈이 펑펑 쏟아졌다. 첫눈이었다. 수업 시간에 유리창에 부딪쳤다 창턱에 쌓이는 눈을 보느라 나는 선생님 말씀에 귀를 기울일 수가 없었다. 친구들과 눈싸움할 생각에 가슴이 설레었기 때문이다.

아이들은 수업 시간 내내 창밖을 보며 뛰쳐나갈 생각만 했다. 그러나 뚱뚱한 스타르디는 눈이 오는지 마는지 신

경도 쓰지 않고 공부만 했다.

"와, 눈이다!"

수업이 끝나고 집으로 돌아갈 때 우리는 신이 나서 팔짝팔짝 뛰었다. 팔을 휘두르며 소리를 지르고 거리를 뛰어다니는 친구도 있고, 눈덩이를 굴리는 아이도 있었다. 마중 나온 부모님들의 우산 위에도, 경찰관 아저씨의 모자 위에도, 우리들 가방 위에도 눈이 쌓였다.

잘 웃지 않던 프레코시도 신이 나서 뛰어다녔고, 다리를 다친 2학년 로베티도 목발을 짚고 껑충껑충 뛰었다.

"나는 눈을 처음 봐. 칼라브리아에는 눈이 거의 오지 않거든."

칼라브리아 소년은 혀를 길게 빼고 하늘에서 떨어지는 눈을 받아 먹었다. 크로시는 무슨 생각인지 가방을 열고 눈을 모아 담았다. 꼬마 벽돌공도 눈을 한 움큼 집어 베어 물고는 좋아서 어쩔 줄 몰라 했다.

여선생님도 웃으며 눈 구경을 했다. 우리 학교 옆에 있는 여학교에서도 학생들이 소리를 지르며 하얀 운동장을

뛰어다녔다. 선생님, 수위 아저씨, 경찰 아저씨의 콧수염과 턱수염에도 눈이 쌓여 하얀 꽃처럼 보였다.

"집으로 가라. 다들 집으로 돌아가."

어른들은 말은 이렇게 하면서도 뛰어다니는 아이들을 즐겁게 바라보았다.

눈싸움 ― 12월 16일

오늘도 하루 종일 눈이 내렸다. 나는 아버지와 책을 사러 서점에 갔다. 서점 창문을 통해 밖을 내다보니 아이들이 큰길에서 눈싸움을 하고 있었다.

사람들이 많이 오가는 중이었는데, 아이들까지 다 몰려 나와 있어 매우 어수선하고 복잡해 보였다. 지나가던 신사 한 분이 인상을 쓰며 아이들을 꾸짖었다.

"이 녀석들, 사람들이 다치면 어쩌려고 그러느냐? 당장 그만두어라."

바로 그 순간, 길 저편에서 비명 소리가 들렸다.

"어이쿠!"

할아버지 한 분이 두 손으로 얼굴을 감싸 쥐고 비틀거
렸다. 모자는 땅바닥에 떨어져 뒹굴고 있었다.

"큰일 났네. 누가 좀 도와줘요!"

사람들이 놀라서 할아버지에게 달려갔다. 놀란 아이들
은 뿔뿔이 달아났다. 몇 명은 슬그머니 서점으로 들어왔
다. 그중에는 갈로네와 코레티, 가로피도 있었다.

할아버지가 많이 다쳤는지 더 많은 사람
들이 모여들었다. 경찰관 아저씨도 달려왔
다. 경찰관 아저씨가 그때까지 남아 있던
아이들을 돌아보며 무섭게 물었다.

큰일 났어!
할아버지께서 많이
다치셨나 봐!

"누구냐? 누가 그랬는지 어서 말해라."

경찰관 아저씨는 아이들 손을 붙잡고 눈이
묻어 있나 살펴보기까지 했다.

"누구야? 어서 나오지 못해?"

나는 가로피가 새파랗게 질려서 부들부들 떠
는 것을 보았다. 갈로네가 가로피에게 조용히 말했다.

"가로피, 나가서 사실대로 말하고 용서를 빌자. 내가

같이 가 줄게."

갈로네가 가로피를 설득說得하고 있는데 고함 소리가
다시 들려왔다.

"나쁜 녀석들 같으니라고! 할아버지 눈에 안경 조각이
들어갔다. 너희들이 얼마나 큰 잘못을 했는지 봐라."

가로피는 금방이라도 푹 쓰러질 것처럼 보였다. 갈로네
가 가로피를 부축하며 말했다.

"가자, 가로피. 내가 대신 말해 줄게."

갈로네와 가로피가 앞으로 걸어 나가 잘못을 빌고 용서
를 구했다. 몇몇 어른이 가로피를 혼내려고 둘러쌌다. 그
앞을 갈로네가 막아서며 큰 소리로 외쳤다.

"일부러 그런 건 아니에요. 제발 그만두세요. 설마 어
른 열 명이 아이 한 명을 때리시려는 건 아니겠지요?"

어른들은 높이 치켜들었던 주먹을 슬금슬금 내렸다. 경
찰관은 가로피를 옆의 빵 가게로 데려갔다. 할아버지가

설득(說得) : 상대편이 이쪽 편의 이야기를 따르도록 여러 가지로 깨우쳐 말함.

거기에서 응급 처치를 받고 있었다. 나도 아버지와 함께 가까이 가서 안을 들여다보았다. 우리 집 5층에 사는 할아버지였다. 할아버지는 눈에 붕대를 감고 있었다.

"할아버지, 일부러 그런 건 아니에요……."

가로피가 훌쩍거리며 말했다. 그러자 가로피 뒤쪽에 있던 아저씨가 가로피를 세게 밀며 소리쳤다.

"나쁜 녀석! 뭘 하고 있어? 어서 잘못했다고 빌어라!"

가로피는 바닥에 힘없이 쓰러졌다. 그때 누군가가 가로피를 안아 일으켜 주었다. 우리 학교 교장 선생님이었다.

"여러분, 이 아이는 잘못을 인정했습니다. 그것은 용기 있는 일입니다. 그러니 무조건 야단치지 마세요."

교장 선생님의 말에 모여 선 사람들이 고개를 끄덕였다. 교장 선생님은 가로피의 어깨를 감싸며 말했다.

"자, 가로피, 어서 할아버지께 잘못했다고 빌어라."

가로피는 할아버지의 무릎을 껴안으며 털썩 주저앉더니, 울면서 잘못을 빌었다.

"할아버지, 잘못했습니다……."

할아버지는 가로피의 머리를 쓰다듬으며 말했다.

"괜찮다, 애야."

집으로 돌아오는 길에 아버지가 나에게 물었다.

"엔리코, 너도 가로피처럼 많은 사람들 앞에서 용감하게 네 잘못을 시인是認 할 수 있겠니?"

"그럼요."

"약속할 수 있겠니?"

"그럼요. 꼭 그렇게 할게요!"

나는 자신 있게 대답했다.

병문안 − 12월 18일 일요일

오늘 오후 숙제를 마쳤을 때 아버지가 말했다.

"엔리코, 5층 할아버지에게 문병 가지 않겠니?"

나는 아버지를 따라 5층으로 올라갔다. 할아버지는 어두컴컴한 방에서 침대에 기대앉아 있었다.

시인(是認) : 어떤 내용이나 사실이 옳거나 그러하다고 인정함.

"이렇게 찾아와 주시다니, 고맙습니다."

할아버지는 우리의 방문을 무척 반가워했다. 다친 눈도 곧 나을 거라고 했다.

"운이 나빴을 뿐입니다. 나한테 눈덩이를 던진 그 아이가 무척 놀랐을 거예요."

그때 누군가가 방문을 두드렸다. 우리는 의사 선생님이 왕진을 온 줄 알았는데, 안으로 들어온 사람은 뜻밖에도 가로피였다.

"누가 왔습니까?"

할아버지가 묻자 아버지가 대답했다.

"그때 눈덩이를 던진 아이가 찾아왔습니다."

"아, 병문안을 왔구나. 이제 다 나았으니 걱정 마라."

할아버지가 다정하게 말했다. 가로피는 울음을 참으며 침대 옆으로 다가갔다. 할아버지는 가로피의 어깨를 두드려 주었다. 가로피는 뭔가 할 말이 있는 것 같았지만 쉽게 입을 떼지 못했다.

"할 말이 있니? 어서 얘기해 보렴."

"아……아니에요."

"애야, 걱정하지 않아도 된다. 돌아가서 부모님께도 괜찮다고 말씀드려라."

가로피는 인사를 하고 돌아가려다가 문 앞에서 우뚝 멈춰 섰다. 그러고는 옷 속에서 뭔가를 꺼내 할아버지의 조카에게 건넸다.

"이거 할아버지께 전해 줘."

가로피는 이 말만 하고 쏜살같이 달아나 버렸다. 나는 가로피가 주고 간 물건을 보고 깜짝 놀랐다. 그것은 가로피가 가장 소중하게 여기던 우표 책이었다.

소중한 우표 책까지 내놓은 걸 보니, 가로피가 얼마나 진심으로 사과하고 싶었는지 알 것 같아.

의지의 소년 스타르디 - 12월 28일 수요일

오늘 아침 학교에서 두 가지 사건이 일어났다. 하나는 가로피가 할아버지에게서 우표 책을 되돌려 받은 것이다. 우표 책에는 가로피가 몇 달 전부터 갖고 싶어 하던 과테

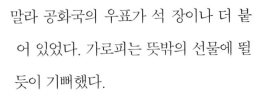

과테말라는 중앙아메리카 북부에 있는 공화국이야. 마야 문명의 중심지이기도 하지.

말라 공화국의 우표가 석 장이나 더 붙어 있었다. 가로피는 뜻밖의 선물에 뛸 듯이 기뻐했다.

두 번째 사건은 스타르디가 반에서 2등을 한 것이다. 모두들 믿을 수 없다는 표정을 지었다. 지난 10월 스타르디의 아버지는 페르보니 선생님에게 이렇게 말했다.

"선생님, 이 아이는 머리가 나빠 가르치시려면 힘드실 겁니다. 완전히 돌머리예요!"

그런 스타르디가 2등을 하다니! 반 아이들은 그동안 스타르디를 내내 '돌머리'라고 놀렸다. 학기 초에 스타르디는 덧셈, 뺄셈도 못하고 문장도 제대로 외우지 못했다. 우리는 뚱뚱한 스타르디가 얼마나 강철 같은 의지를 지녔는지 몰랐다. 스타르디는 틈이 날 때마다 공부를 했고, 용돈이 생기면 무조건 책을 사서 봤다.

페르보니 선생님이 스타르디에게 상을 주면서 말했다.

"장하다, 스타르디! 너처럼 의지가 굳은 아이는 본 적이 없구나. 수고했다!"

스타르디는 상을 받으면서도 잘난 척하지 않았다. 자기 자리로 돌아와 다시 책을 들여다봤다.

진짜 재미있는 일은 교문 앞에서 일어났다. 스타르디의 아버지는 외과 의사였는데, 스타르디보다 뚱뚱하고 목소리도 우렁찼다. 아들이 2등을 했다는 말을 듣고 스타르디의 아버지는 큰 소리로 외쳤다.

"장하다, 내 아들! 사랑한다!"

스타르디의 아버지는 아들의 머리를 한 번 툭 치고는 껄껄 웃었다. 우리는 그 유쾌한 광경光景을 보고 웃음을 터뜨렸지만, 스타르디의 표정은 여전히 무덤덤했다. 나는 스타르디가 어쩌면 다음 날 공부할 내용을 벌써 떠올리고 있을지도 모른다고 생각했다.

광경(光景) : 벌어진 일의 형편과 모양.

4장

1월의 일기

대장장이의 아들 프레코시 - 1월 6일 금요일

나는 대장장이의 아들 프레코시를 존경한다. 아니, 존경이라는 말로는 부족하다.

프레코시는 공부를 매우 잘하지만 언제나 슬프고 겁먹은 표정이다. 조용한 성격에 무슨 일이든 자기가 먼저 사과하는 편이다.

프레코시의 아버지는 술주정뱅이다. 게다가 술만 마시면 프레코시를 때리고 공부를 하지 못하게 책과 공책을 찢거나 집어 던진다.

가끔 프레코시는 울어서 퉁퉁 부은 눈으로 학교에 온

다. 얼굴이나 팔다리에 시퍼렇게 멍이 들어서 온 적도 많다. 그래도 프레코시는 아버지한테 맞았다는 말은 절대하지 않는다. 지난번에도 프레코시는 겉장이 반쯤 탄 공책을 가지고 왔다.

"어…… 그게, 실수로 난로에 공책을 떨어뜨렸지 뭐야."

술주정뱅이 아버지 밑에서 프레코시가 얼마나 힘들까?

프레코시는 공책을 뒤로 감추며 말했다. 물론 우리는 프레코시의 아버지가 술을 마시고 그랬다는 걸 알았다.

프레코시는 우리 집 다락방에서 산다. 프레코시의 아버지는 일은 열심히 하지 않고 술만 마시기 때문에 프레코시네 집은 가난했다. 빵 한 조각도 못 먹고 온 가족이 굶을 때도 있었다. 프레코시도 아침을 못 먹고 학교에 오는 날이 많았다. 그럴 때면 갈로네가 준 빵이나 선생님이 준 사과를 먹었다.

프레코시의 아버지도 가끔 프레코시를 데리러 학교에 온다. 부스스한 머리에 술에 취한 듯 비틀거리는 걸음걸

이를 보면 아버지가 싫을 법도 한데, 마음씨 착한 프레코
시는 언제나 웃으면서 아버지에게 달려간다.

오늘 아침에도 프레코시의 뺨에 상처가 있었다.

"아버지가 또 그랬니?"

친구들이 상처를 보고 물었다. 프레코시는 책상 위로
눈물을 뚝뚝 떨어뜨렸다. 하지만 곧 눈물을 닦고 말했다.

"아버지가 그런 거 아니야. 우리 아버지는 좋은 분이야!"

가엾은 프레코시! 술주정뱅이 아버지를 만나지 않았다
면 어땠을까? 아마 우리 반에서 1등을 했을지도 모른다.
프레코시가 활짝 웃는 날이 올까?

학교에서 쫓겨난 프란티 – 1월 21일 토요일

프란티는 정말 못된 친구다. 나는 프란티가 밉다. 프란
티는 친구가 야단을 맞으면 기뻐하고, 친구가 울면 위로
는 해 주지 못할 망정 놀려 대기까지 한다. 갈로네 앞에서
는 꼼짝도 못하면서 키 작은 꼬마 벽돌공은 매일같이 괴
롭힌다. 한쪽 팔이 아픈 크로시를 귀찮게 하고, 모두가 좋

아하는 프레코시를 벌레 보듯 한다. 심지어 1학년 학생을 구하려다 다친 로베티까지 놀려 댄다. 프란티는 선생님을 무서워하지도 않는다.

프란티의 어머니는 가끔 담임 선생님을 만나러 학교에 찾아온다. 그때마다 눈물을 한없이 흘리며 돌아가는데, 얼마 전에는 프란티 때문에 앓아누웠다고 한다. 프란티의 아버지는 프란티의 버릇을 고친다며, 프란티를 세 번이나 집에서 쫓아냈다. 그래도 프란티는 변하지 않았다.

프란티는 학교에 오는 것을 싫어하고, 아이들과 선생님을 몹시 싫어했다. 야단치는 것을 좋아하지 않는 페르보니 선생님은 프란티가 못된 짓을 해도 그냥 지나칠 때가 많았다. 그럴수록 프란티는 더 못되게 굴었다.

한번은 데로시가 참지 못하고 프란티에게 소리쳤다.

"프란티, 제발 그만 좀 할 수 없니? 선생님과 아이들이 너 때문에 얼마나 괴로워하는 줄 몰라?"

하지만 프란티는 코웃음을 치고는 도리어 데로시를 위협하며 시비를 걸었다.

오늘 아침, 프란티는 결국 학교에서 쫓겨났다. 복도에서 폭죽을 터뜨렸기 때문이다. 폭죽은 폭탄처럼 펑펑 큰 소리를 내며 터졌다. 교실마다 난리가 났다.

"프란티, 뭐 하는 짓이냐?"

페르보니 선생님이 화가 나서 고함을 쳤다.

"제가 한 짓이 아니에요."

프란티는 실실 웃으면서 거짓말을 했다. 프란티의 뻔뻔한 거짓말에 페르보니 선생님은 얼굴이 새빨개졌다.

"프란티, 네가 한 짓이라는 걸 알고 있다!"

"맹세코 저는 아니에요."

프란티, 선생님께 거짓말까지 하다니, 아직 늦지 않았으니 어서 용서를 빌라고!

프란티는 끝까지 거짓말을 했다. 선생님은 화가 머리끝까지 치밀어 프란티를 교장실로 데려갔다. 잠시 뒤, 선생님은 무척 지치고 슬픈 표정으로 교실로 돌아왔다.

"휴!"

선생님은 길게 한숨을 내쉬며 의자에 털썩 주저앉았다.

손은 부들부들 떨렸고, 그사이 주름살은 더욱 깊어졌다.

"30년 동안 아이들을 가르쳤지만, 이런 일은 나도 처음 이구나."

우리는 선생님이 얼마나 슬픈지 알았기 때문에 모두 조용히 앉아 있었다. 데로시가 일어나 선생님을 위로했다.

"선생님, 너무 슬퍼하지 마세요. 우리 모두 선생님을 사랑해요."

데로시의 위로에 선생님은 우리의 얼굴을 하나하나 돌아보았다. 선생님의 얼굴에 엷은 미소가 번졌다.

"고맙구나! 자, 그럼 수업을 계속하자꾸나."

질투심 많은 보티니 — 1월 25일 수요일

보티니는 허영심虛榮心이 많고 지나치게 멋을 부리는 친구다. 그렇지만 나는 보티니도 좋아한다. 가끔 보티니가 데로시를 괴롭히는 것만 빼고 말이다.

허영심(虛榮心) : 허영에 들뜬 마음.

데로시는 선생님이 질문을 하면 언제나 가장 빨리 대답한다. 그럴 때마다 보티니는 얼굴을 찡그리며 고개를 휙 돌려 버린다. 오늘 아침 선생님이 작문 시험 결과를 발표했을 때도 그랬다.

"데로시, 10점 만점으로 네가 1등이다."

이번 작문 시험도 데로시의 점수가 가장 높았다. 하지만 보티니는 선생님에게 불공평하다고 투덜대는 것도 모자라 친구들 앞에서 드러내 놓고 데로시를 질투했다. 자신이 1등을 할 것이라고 굳게 믿었기 때문이다. 선생님은 보티니를 물끄러미 보더니, 조용히 타일렀다.

친구가 좋은 성적을 받았을 때는 경쟁을 떠나 진심으로 축하해 줄 줄도 알아야 해.

"보티니, 데로시를 질투하지 마라. 질투심은 네 영혼을 갉아먹고, 마음을 녹슬게 한단다. 질투심을 쫓아 버리도록 해라."

페르보니 선생님은 진심을 담아 보티니에게 충고했다. 보티니가 그 말을 귀담아들었는지는 모르겠다.

프란티의 어머니 — 1월 28일 토요일

보티니는 구제 불능이다. 어제 종교 시간에 교장 선생님이 데로시에게 시 두 편을 외워 왔는지 물었다. 데로시는 솔직하게 외우지 못했다고 대답했다. 그러자 보티니가 손을 들고 잘난 척하며 말했다.

"교장 선생님, 저는 다 외웠습니다!"

사실 시를 외우지 못했으면서도 잘난 척하고 싶어 말한 것이다. 때마침 프란티의 어머니가 교실로 찾아오지 않았다면 보티니는 큰 낭패를 보았을 것이다.

프란티의 어머니는 퇴학을 당한 프란티를 앞세우고 교실로 들어왔다.

"교장 선생님, 제발 우리 아이를 용서해 주세요. 프란티의 아버지는 아직 프란티가 퇴학을 당한 사실을 몰라요. 이 사실을 아는 날에는 날벼락이 떨어질 거예요. 제발 프란티를 다시 학교에 다니게 해 주세요."

프란티의 어머니는 두 손을 모으고 간절히 빌었다.

교장 선생님은 난처해하며 프란티의 어머니를 교실 밖

으로 내보내려고 했다. 프란티의 어머니는 눈물을 흘리며 교장 선생님에게 더욱 매달렸다.

"이 아이를 불쌍히 여겨 주세요. 저는 병에 걸려 오래 못 살아요. 죽기 전에 프란티가 변하는 모습을 보고 싶어요. 교장 선생님, 부탁드립니다!"

프란티는 고개를 푹 숙이고 있었다. 교장 선생님은 프란티를 가만히 내려다보더니 한숨을 내쉬며 말했다.

"프란티, 네 자리로 가 앉도록 해라."

"감사합니다, 교장 선생님! 프란티, 이 불쌍한 어머니를 생각해서라도 제발 얌전히 다녀야 한다."

프란티의 어머니는 프란티에게 당부를 하고 비틀거리며 집으로 돌아갔다. 교장 선생님은 씁쓸한 목소리로 프란티에게 말했다.

"프란티, 넌 어머니를 아프게 했다. 깊이 반성하렴."

우리는 모두 프란티를 돌아보았다. 그러나 그 못된 녀석은 웃고 있었다.

5장
2월의 일기

가치 있는 상 — 2월 4일 토요일

오늘 아침 장학관이 상을 주려고 교장 선생님과 함께 우리 교실로 들어왔다. 이번에도 1등은 데로시였다. 우리는 2등이 누구일지 궁금했다.

장학관이 큰 소리로 이름을 불렀다.

"2등은 프레코시입니다. 프레코시는 성적도 좋지만 품행品行도 매우 우수합니다."

우리는 일제히 프레코시를 돌아보았다. 프레코시도 매

품행(品行): 품성과 행실을 아울러 이르는 말.

우 놀란 얼굴이었다. 장학관이 사랑이 가득 담긴 목소리로 프레코시에게 말했다.

"프레코시, 너에게 이 상을 왜 주는 줄 아니? 그건 네 성적이 우수할 뿐만 아니라 마음씨도 착하고 용감해서란다. 넌 이 상을 받을 자격이 충분하다!"

장학관은 우리에게도 물었다.

"여러분도 프레코시가 이 상을 받을 만한 자격이 있다고 생각합니까?"

"예!"

우리는 한목소리로 우렁차게 대답했다. 프레코시는 상을 받고 우리에게 고개 숙여 인사를 했다.

수업이 끝나고 밖으로 나오다 1층 휴게실에서 프레코시의 아버지를 보았다. 프레코시의 아버지는 오늘도 술에 취했는지 살짝 비틀거렸다.

장학관은 프레코시를 아버지 앞으로 데려갔다. 술에 취한 아버지를 본 프레코시는 바짝 긴장을 해 몸을 움츠렸

장학관은 학교나 지방 교육 기관의 여러 가지 장학 사업에 대한 지도와 평가 등의 일을 맡아 하는 교육 공무원이야.

다. 교장 선생님과 담임 선생님이 프레코시를 보호하려는 듯 앞을 가로막으며 인사했다.

"프레코시의 아버님이시죠?"

장학관이 친절하게 말을 걸었다.

"축하합니다. 프레코시가 이번에 2등을 했습니다. 54명이나 되는 친구들을 제치고요. 작문과 수학은 물론이고 모든 과목을 잘했습니다. 머리도 좋고 착실한 학생이에요. 이렇게 훌륭한 아드님을 두셔서 정말 자랑스러우시겠어요. 오늘은 아드님을 마음껏 칭찬해 주세요."

프레코시의 아버지는 불안에 떨고 있는 아들을 멍하니 내려다보았다. 그동안 자신이 얼마나 아들을 괴롭혔는지, 착한 아들이 얼마나 강인하고 용감하게 아버지의 학대를 견뎌 냈는지 깨달은 듯했다. 프레코시의 아버지는 아들을 품에 안으며 말했다.

"훌륭하다, 프레코시! 그리고 미안하다!"

우리는 프레코시 앞을 지나가며 축하의 말을 건넸다. 부러운 듯 메달을 만지고 지나가는 친구도 있었다.

장난감 기차 – 2월 10일 금요일

프레코시와 갈로네가 우리 집에 놀러 왔다. 크로시도 초대했지만 크로시는 아버지가 6년 만에 미국에서 돌아와서 오지 못했다.

어머니는 프레코시와 갈로네를 반갑게 맞으며 입을 맞춰 주었다. 아버지가 어머니에게 갈로네를 소개했다.

"갈로네는 훌륭한 소년이라오. 마음씨도 따뜻한 데다가 아주 멋진 신사지."

아버지의 칭찬에 갈로네는 쑥스러워하며 고개를 숙였다. 나는 갈로네와 눈이 마주치자 미소를 지어 보였다.

프레코시는 얼마 전에 받은 2등 메달을 여전히 목에 걸고 다녔다. 프레코시의 아버지는 술을 끊고 다시 열심히 일을 시작했다. 요즘은 대장간에서 프레코시를 곁에 앉혀 놓고 일한다고 했다. 프레코시는 아버지가 딴사람이 된 것 같다며 매우 행복해했다.

나는 친구들 앞에 장난감을 쏟아 놓았다. 프레코시는 태엽을 감아 주면 저절로 움직이는 장난감 기차를 집어 들고 신기한 듯 관찰했다.

"이야, 이런 장난감 기차는 처음 봐."

나는 프레코시를 위해 기차의 태엽을 감아 주었다. 기차가 천천히 움직이자 프레코시는 쭈그려 앉아서 기차에서 눈을 떼지 않았다. 프레코시가 그렇게 즐거워하는 표정은 처음 보았다.

나는 프레코시를 조용히 지켜보았다. 프레코시의 여린 목덜미, 작은 귀, 가느다란 손목……. 그 순간 나는 내 장난감을 프레코시에게 주고 싶었다.

'프레코시에게 기차를 주면 얼마나 좋아할까…….'

하지만 아버지의 허락許諾 없이 내 마음대로 할 수는 없었다. 그때 아버지가 내 옆구리를 쿡쿡 찌르더니 쪽지를 건네주었다. 쪽지에는 이렇게 적혀 있었다.

프레코시가 기차를 아주 좋아하는구나. 프레코시에게

허락(許諾) : 청하는 일을 하도록 들어줌.

장난감 기차를 주고 싶다면 그렇게 하렴.

나는 곧바로 장난감 기차를 들어 프레코시에게 주었다.

"프레코시, 이 기차 네게 선물로 줄게."

프레코시는 깜짝 놀라서 나와 아버지, 어머니를 번갈아 보더니 더듬거리며 물었다.

"왜…… 나한테 주는 거야?"

그러자 아버지가 부드럽게 웃으며 말했다.

"너는 엔리코 친구잖니. 또 엔리코가 너를 많이 좋아한단다. 이건 2등 축하 선물이야."

프레코시는 수줍어하며 나에게 다시 물었다.

"이 기차를 정말 내가 가져도 돼?"

"그럼 물론이지."

나는 큰 소리로 대답했다. 프레코시는 떨 듯이 기뻐했다. 그리고 떨리는 목소리로 몇 번이나 고맙다고 했다.

"엔리코, 대장간에 오면 우리 아버지가 직접 만든 못을 줄게."

프레코시는 얼굴을 붉히며 말했다.

갈로네에게는 어머니가 예쁜 꽃다발을 만들어 주었다.

"갈로네, 이 꽃다발을 어머니에게 갖다 드리렴."

"고맙습니다. 어머니께서 무척 좋아하실 거예요."

갈로네는 꽃을 보며 활짝 미소를 지었다.

나무 잉크병 – 2월 17일 금요일

어제 아침 나는 아버지와 올여름 휴가를 보낼 별장을 빌리기 위해 몬칼리에리를 방문했다. 별장 관리인은 우리에게 별장을 구경시켜 주고 나서 자기 방으로 데려가 마실 것을 꺼내 주었다.

몬칼리에리는 이탈리아 피에몬테 주에 있는 도시야. 여름 휴양지로 유명해.

방에 있는 작은 탁자 위에 독특한 모양의 나무 잉크병이 놓여 있었다.

"직접 만든 잉크병이군요."

아버지는 궁금해하며 잉크병을 자세히 들여다보았다.

"그 잉크병은 제게 아주 소중한 물건입니다."

별장 관리인은 빙그레 웃으며 잉크병에 담긴 사연을 우리에게 이야기해 주었다.

"제 원래 직업은 선생님이었습니다. 몇 년 전에는 토리노에서 감옥에 있는 죄수들에게 글을 가르쳤지요. 감방마다 이중 철책이 달린 창문이 있는데, 그 창문들 앞을 왔다 갔다 하면서 수업을 했어요. 덥수룩한 수염을 기른 죄수들이 철책 사이로 얼굴을 내밀고 제 수업을 들었지요."

선생님은 죄수들 중에서도 78호 감방에 있던 한 죄수를 잊을 수 없다고 했다.

78호 죄수는 감옥에 들어오기 전 가구를 만드는 사람이었다. 주인의 괴롭힘을 참지 못하고 대패를 집어 던졌는데, 그게 하필 주인의 머리에 맞아 치명적인 상처를 입히는 바람에 감옥에 오게 되었다.

78호 죄수는 누구보다 열심히 공부했다. 석 달 만에 읽고 쓰는 것을 다 배워 혼자서도 책을 읽게 되었다. 그뿐만 아니라 자기의 죄도 진심으로 뉘우쳤다. 78호 죄수는 가르침을 주는 선생님을 늘 존경하고 따랐다.

어느 날 수업을 끝마치고 나오려는데 78호 죄수가 선생님을 불러 세웠다.

"선생님, 저는 내일 베네치아에 있는 감옥으로 옮겨 갑니다. 가기 전에 선생님의 손을 한번 잡아 봐도 될까요?"

선생님은 기꺼이 손을 내밀어 주었다. 78호 죄수는 선생님의 손에 공손히 입을 맞추었다.

"고맙습니다. 정말 고맙습니다, 선생님."

그날 이후 선생님은 78호 죄수를 보지 못했다. 그런데 6년이 지난 어느 날, 너덜너덜한 옷을 입은 한 남자가 선생님을 찾아왔다. 덥수룩한 수염 사이에 듬성듬성 나 있는 흰 수염을 보며 선생님은 이 남자가 누구인지 떠올리려고 애썼다.

"선생님, 저 기억나십니까? 6년 전 선생님에게 글을 배웠던 78호 죄수입니다. 토리노 감옥을 떠날 때 선생님의 손을 잡았지요.

가르침을 받은 걸 잊지 않고 찾아오다니 은혜를 갚을 줄 아는 사람이군.

이제 형을 다 살고 감옥을 나왔습니다. 그래서 보잘것없지만 선물을 하나 가져왔습니다. 부디 받아 주십시오."

78호 죄수는 감옥에서 정성스럽게 만든 나무 잉크병을 선생님에게 건넸다. 잉크병에는 펜과 공책 그림과 '78호 죄수가 선생님에게'라는 글이 새겨져 있었다. 그 아래에는 작은 글씨로 '공부와 희망希望'이라고 적혀 있었다.

선생님으로부터 전해 들은 이야기는 이게 전부였다. 집으로 돌아오는 내내 나는 철책 사이로 얼굴을 내밀고 공부하는 78호 죄수와 나무 잉크병을 생각했다.

그런데 학교에서는 더 놀라운 일이 나를 기다리고 있었다. 나는 수학 시험 문제를 풀고 나서 데로시에게 어제 일을 이야기해 주었다. 그러자 데로시가 펄쩍 뛰며 말했다.

"뭐? 그게 정말이야?"

데로시는 크로시를 살짝 돌아보더니 내 팔을 잡아당기며 조용히 말했다.

희망(希望) : 앞일에 대하여 어떤 기대를 가지고 바람.

"엔리코, 크로시의 아버지가 그저께 미국에서 돌아오신 거 알지? 크로시의 아버지가 나무로 만든 잉크병을 갖고 오셨대. 그 잉크병에도 펜과 공책이 새겨져 있었고."

"하지만 크로시의 아버지는 미국에 돈 벌러 가셨다고 했잖아."

"아버지가 감옥에 가신 걸 알면 크로시가 상처 받을까 봐 크로시 어머니가 숨겼을 거야. 아마 지금도 크로시는 그 사실을 모르고 있을 거야. 그러니까 이건 너와 나만 아는 비밀로 하자. 알았지?"

나는 크로시를 좋아했기 때문에 데로시의 말에 따르기로 했다. 수업이 끝나고 교문을 나서다 크로시의 아버지를 만났다. 검은 수염 사이로 듬성듬성 자란 흰 수염이 가장 먼저 보였다. 나와 데로시는 평소와 똑같이 크로시에게 인사했다.

"잘 가, 크로시! 내일 만나자."

크로시의 아버지가 따뜻하게 우리를 바라보았다. 그러나 어딘지 모르게 눈빛이 불안해 보였다.

대장간 - 2월 18일 토요일

오늘 아침 아버지에게 프레코시네 대장간으로 데려다 달라고 부탁했다. 대장간 가까이 가자 프레코시의 모습이 보였다. 프레코시는 무릎에 책을 올려놓고 숙제를 하다가 우리를 보고 얼른 안으로 들어오라고 했다. 대장간은 아주 넓었고, 석탄이 잔뜩 쌓여 있었다. 망치와 집게, 쇠막대기, 철조각 같은 물건도 가득했다.

풀무란 불을 피울 때에 바람을 일으키는 기구야. 대장간에서 꼭 필요한 물건이지.

불이 벌겋게 타오르는 화덕 앞에서 견습공처럼 보이는 소년이 풀무를 돌리고 있었다. 또 다른 견습공이 쇠막대기를 달구면 프레코시의 아버지는 달군 쇠를 망치로 두드렸다.

프레코시의 아버지는 나를 정답게 맞아 주었다.

"네가 프레코시에게 기차를 선물한 엔리코구나."

활짝 웃는 얼굴이 전혀 딴사람 같았다. 프레코시의 아버지는 커다란 망치로 쇠를 두드려 예쁜 꽃을 뚝딱 만들었다. 프레코시는 그런 아버지를 자랑스러워했다.

"정말 놀라운 솜씨로군요. 열심히 일하시는 모습이 보기 좋습니다."

아버지도 감탄하며 프레코시의 아버지에게 말했다. 프레코시의 아버지는 아들을 가리키며 말했다.

"프레코시가 저를 이렇게 바꾸었습니다. 매일 술에 취해 괴롭히기만 했는데……. 그런데도 아들이 2등을 했다는 얘기에 어찌나 부끄럽던지……."

프레코시의 아버지는 이렇게 말하며 프레코시를 세게 끌어안았다. 나는 프레코시를 위해 정말 잘됐다고 생각했다. 작별 인사를 하고 대장간을 나올 때 프레코시가 내 주머니에 못 한 줌을 넣어 주었다. 나는 프레코시에게 우리 집에 또 놀러 오라고 했다.

6장
3월의 일기

싸움 - 3월 5일 일요일

결국 사건이 터지고 말았다. 사건을 일으킨 사람은 프란티였다. 실비아 누나가 학교에서 오다가 그 사건을 목격하고 헐레벌떡 집으로 달려와 이야기를 들려주었다.

프란티가 제물祭物로 삼은 사람은 스타르디였다. 스타르디는 수업이 끝나면 항상 여동생을 데리러 간다. 프란티는 스타르디의 뒤를 몰래 쫓아갔다. 그리고 골목에 숨어 있다가 스타르디의 여동생이 보이자마자 달려들어 머

제물(祭物) : 희생된 물건이나 사람 따위를 비유적으로 이르는 말.

리카락을 잡아당겼다. 얼마나 세게 잡아당겼는지 스타르디의 여동생이 휘청거리며 비명을 질렀다.

프란티는 야비하게 웃으며 스타르디에게 말했다.

"뚱뚱보 스타르디, 용기 있으면 덤벼 봐!"

"프란티, 그 손 당장 놔!"

스타르디는 크게 소리치며 프란티에게 주먹을 날렸다. 하지만 키가 크고 힘이 센 프란티에 비해 스타르디는 키도 작고 행동도 굼떴다. 프란티는 스타르디를 한주먹에 쓰러뜨렸다. 스타르디는 벌떡 일어나 다시 달려들었지만, 제대로 공격 한번 못하고 계속 얻어맞기만 했다.

주변에 있던 어린 여학생들은 발을 동동 굴렀다. 귀가 찢어지고 코피까지 났지만 스타르디는 물러서지 않았다. 프란티는 당황했다. 스타르디가 겁을 집어먹고 도망칠 줄 알았는데, 벌떡벌떡 일어나 공격을 해 왔기 때문이다. 한 여학생이 소리를 질렀다.

"여동생을 위해 싸우는 멋진 오빠야. 잘한다, 힘내!"

다른 여학생들도 한마디씩 했다.

"비겁한 놈을 때려누여!"

그 순간 프란티가 스타르디를 넘어뜨리더니 몸 위에 올라타고 말했다.

"스타르디, 어서 항복降伏해."

"싫어! 너한테는 절대 항복하지 않아."

스타르디는 젖 먹던 힘까지 다해 프란티를 밀쳐 내고, 발로 프란티의 가슴을 걷어찼다. 그 순간 프란티가 주머니에서 날카로운 칼을 꺼내 스타르디를 위협했다.

"저런 나쁜 놈을 봤나!"

지나가던 남자가 프란티의 칼을 빼앗으려고 달려왔다. 하지만 남자가 가까이 오기 전에 스타르디가 먼저 프란티의 팔을 꽉 깨물었다.

"으악!"

프란티는 힘없이 칼을 떨어뜨리고 말았다. 어찌나 세게

만날 공부만 하는 스타르디에게 이런 용기가 있는 줄 몰랐어.

항복(降伏) : 적이나 상대편의 힘에 눌리어 굴복함.

물었는지 프란티의 팔에서 피가 뚝뚝 떨어졌다. 사람들이 달려오자 프란티는 그대로 줄행랑을 쳤다.

"내가 이겼으니 울지 마."

스타르디가 울고 있는 여동생을 달래며 말했다. 여학생들은 바닥에 떨어진 스타르디의 책과 공책을 집어 주었다. 사람들은 입을 모아 스타르디를 칭찬했다.

"잘했다, 꼬마야."

"동생을 지키다니 정말 용감한 일을 했다."

스타르디는 가방을 챙기면서 찢어진 책이나 공책이 없는지 꼼꼼하게 살폈다. 그리고 가방을 다 챙기자 여동생을 돌아보며 평소처럼 조용히 말했다.

"가자! 얼른 가서 수학 숙제를 해야 해."

78호 죄수 – 3월 8일 수요일

어제저녁 가슴 찡한 일이 있었다. 며칠 전부터 크로시의 어머니는 학교 앞에서 데로시를 볼 때마다 따뜻한 시선을 보냈다. 크로시의 비밀을 안 다음부터 데로시가 크로시를 세심하게 챙겨 주었기 때문이다. 학교에서 크로시의 공부를 도와주기도 하고, 종이와 연필을 나누어 주기도 했다.

크로시의 어머니는 데로시에게 고맙다는 말을 하려고 했지만, 막상 데로시가 지나가면 수줍어서 말을 건네지 못했다. 그러다 어제 마침내 용기를 내어 데로시에게 말을 걸었다.

"얘야, 잠깐 나 좀 보자. 네 이름이 데로시지? 너에게 주고 싶은 선물이 있는데 받아 주겠니?"

크로시의 어머니는 채소 바구니에서 흰색과 금색으로 포장包裝한 작은 상자를 꺼냈다. 데로시는 얼굴을 붉히며 손을 내저었다.

"아니에요, 이건 크로시에게 주세요."

"캐러멜이니 부담 갖지 말고 가져가렴."

데로시는 고개를 저으며 받지 않겠다고 했다. 그러자

포장(包裝) : 물건을 싸거나 꾸림.

크로시의 어머니는 부끄러워하며 바구니에서 무 한 묶음을 꺼냈다.

"그럼 이거라도 받아 주겠니? 어머니께 갖다 드리렴. 싱싱하니까 좋아하실 거야."

"크로시는 제 친구니까 잘해 주는 게 당연해요. 아주머니의 마음은 고맙지만 저는 아무것도 받지 않을 거예요."

"혹시 기분이 나쁜 건 아니지?"

크로시의 어머니가 걱정하며 물었다.

"아니에요. 감사해요, 아주머니."

데로시가 웃으며 말했다.

"정말 착한 아이구나. 어쩜 이렇게 마음이 예쁠까!"

크로시의 어머니는 미소를 지으며 말했다.

그런데 그걸로 끝이 아니었다. 오후에 크로시의 아버지가 어두운 표정으로 나타나 데로시를 불러 세웠다. 크로시의 아버지는 의심 섞인 목소리로 데로시에게 말했다.

"네가 우리 아들과 친하다고 들었다. 무엇 때문에 잘해

친구의 어려운 사정을 듣고 더 푸근하게 감싸 주다니! 데로시, 넌 어쩜 이렇게 멋진 거니?

주는지 물어도 되겠니?"

갑작스러운 질문에 데로시의 얼굴이 홍당무처럼 빨개졌다. 데로시는 속으로 생각했다.

'지금까지 크로시는 너무 힘들게 살았잖아요. 저는 크로시가 행복하길 바라요. 그리고 아저씨도 착한 분이라는 걸 알아요. 옛날 일은 다 잊으세요.'

하지만 데로시는 아무 말도 하지 못했다. 감옥을 다녀온 크로시의 아버지가 조금은 무서웠기 때문이다. 크로시의 아버지는 데로시의 속마음을 꿰뚫어 보고 조심스러운 목소리로 말했다.

"네가 내 아들과 친하다니 다행하다. 하지만 나는 싫어할 거야. 날 무서워하고 있지?"

"아니에요, 싫어하지 않아요. 그 반대예요!"

데로시는 자기도 모르게 큰 소리로 외쳤다. 크로시의 아버지는 빙그레 웃으며, 데로시의 곱슬머리를 쓰다듬어 주었다. 그리고 고마운 마음을 담아 데로시의 손에 살짝 입맞춤을 했다.

7장
4월의 일기

봄날 아침 − 4월 1일 토요일

오늘 아침처럼 기분 좋은 날은 손에 꼽을 정도로 드물다. 학교에 가자 코레티가 반가운 제의提議를 했다. 내일 모레 마을을 방문하는 국왕 폐하를 아버지와 만나러 가는데, 함께 가자는 것이었다. 국왕 폐하를 만날 수 있다니 꿈만 같다.

어제 오후에도 좋은 일이 있었다. 길에서 우연히 담임 선생님을 만났는데, 선생님이 아버지에게 반갑게 악수를

제의(提議) : 의견이나 의논, 의안을 내놓음.

청하며 말했다.

"요즘 엔리코가 공부를 열심히 하고 있습니다."

내 기분처럼 오늘 아침은 하늘도 맑고 날씨도 따뜻했다. 교실 창문으로 푸른 하늘과 연둣빛으로 뒤덮인 나무들이 보였다. 활짝 열린 앞집 창문에 놓인 푸른 화분도 무척 예뻤다.

평소에 잘 웃지 않는 페르보니 선생님도 오늘은 기분이 좋은지 콧노래를 흥얼거리며 미소를 지었다. 칠판에 적은 문제를 설명할 때는 농담까지 했다.

신선하고 향기로운 봄의 냄새가 창문을 타고 넘어왔다. 수업을 하는 동안 대장간 쪽에서 쇠망치 두드리는 소리가 들렸다. 건너편 집에서는 아기 재우는 자장가 소리가 들렸다. 선생님은 수업을 잠시 멈추고 바깥에서 들려오는 소리에 가만히 귀를 기울였다. 그리고 창밖을 내다보며 말했다.

"맑은 하늘, 아름다운 자장가 소리, 열심히 일하는 대장장이의 망치 소리, 공부하고 있는 아이들……. 정말 아

봄이 오면 겨우내 움츠러들었던 몸과 마음이 새롭게 깨어나지.

름다운 봄이구나."

교실 밖에 나와 보니 다른 아이들도 모두 즐거워 보였다. 봄기운에 깡충깡충 뛰는 아이가 있는가 하면, 노래를 부르며 걸어가는 아이도 있었다.

여선생님들도 다른 날보다 더욱 즐거워 보였다. 부모님들도 활짝 웃으며 대화를 나누었다. 채소 장수 크로시의 어머니가 꽃다발을 한 아름 가져와서 휴게실에도 꽃향기가 가득했다.

교문 밖에서는 어머니가 환한 얼굴로 나를 기다리고 있었다. 나는 어머니에게 한달음에 달려갔다.

"저는 오늘 기분이 정말 좋아요! 왜 이렇게 기분이 좋은지 모르겠어요."

내 말에 어머니가 방긋 웃으며 말했다.

"아름다운 계절이잖니. 엔리코 네 마음이 바르고 아름다우니까 기분이 좋게 느껴지는 거야."

체육 시간 - 4월 5일 수요일

어제 갈로네는 교장실에 갔다가 검은 옷을 입은 넬리의 어머니를 보았다고 한다. 넬리의 어머니는 넬리의 손을 잡고, 어렵게 교장 선생님에게 말을 꺼냈다.

"넬리에게는 기계 체조를 시키지 말았으면 좋겠어요."

하지만 넬리는 자기 혼자만 기계 체조를 하지 않는 것이 서운했는지 고개를 흔들며 말했다.

"어머니, 걱정 마세요. 조금 힘들긴 하겠지만 저도 다른 아이들처럼 잘할 수 있어요."

그러자 넬리의 어머니가 더듬거리며 말했다.

"넬리, 나는 친구들이 네게……."

넬리의 어머니는 솔직히 넬리가 곱사등이라고 놀림을 받을까 봐 걱정이 되었다. 그러나 용감한 넬리는 생각을 바꾸지 않았다.

"어머니, 아무도 나를 놀리지 않아요. 갈로네가 있잖아요. 갈로네는 저를 응원해 줄 거예요."

넬리의 어머니는 더 이상 반대하지 못했다. 결국 넬리

는 체육 시간에 빠지지 않고 기계 체조를 하기로 했다.

며칠째 날씨가 좋았다. 체육 시간이 되자 우리는 운동장으로 달려 나가 기계 체조를 했다. 나무 기둥을 타고 올라가서 꼭대기에 놓인 나무판 위에 올라서는 훈련訓鍊이었다.

데로시와 코레티는 나무 기둥을 원숭이처럼 기어 올라갔다. 프레코시는 무릎까지 내려오는 윗도리를 거추장스러워하면서도 다른 아이들처럼 나무 기둥을 재빠르게 기어 올라갔다. 아이들은 프레코시가 나무 기둥에 올라가는 동안 프레코시를 웃기려고 아래에서 장난을 쳤다.

"미안해! 미안해!"

프레코시가 습관처럼 하는 말을 흉내 낸 것이다.

뚱뚱한 스타르디는 이를 악물고 올라갔다. 얼굴까지 시뻘게졌는데도 성공하겠다고 단단히 결심한 것 같았다. 물론 스타르디는 나무 꼭대기까지 무사히 올라갔다. 노비스

훈련(訓鍊) : 기본 자세나 동작 따위를 되풀이하여 익힘.

는 꼭대기에 올라가더니 임금님처럼 거드름을 피우고 내려왔다. 보티니는 멋있게 보이려고 파란 줄무늬가 있는 화려한 옷을 입고 왔지만 창피하게도 나무 기둥에서 두 번이나 미끄러졌다.

우리는 미끄러지지 않으려고 손에 송진 가루를 발랐다. 송진 가루를 준비해 온 사람은 장사꾼 가로피였다. 가로피는 작은 봉투에 담긴 송진을 1솔도에 팔아 꽤 많은 돈을 벌었다.

드디어 갈로네의 차례였다. 갈로네는 식은 죽 먹기라는 듯 나무 기둥을 척척 올라갔다. 어쩌면 친구 한 명을 업었더라도 꼭대기까지 손쉽게 올라갔을 것이다.

다음 차례는 넬리였다. 넬리는 금방이라도 툭 부러질 것 같은 가는 팔로 나무 기둥을 잡았다. 아이들은 그 모습을 보고 킥킥댔다. 그러자 갈로네가 사나운 눈으로 아이들을 째려보았다. 계속해서 넬리를 비웃

몸도 불편한 넬리가 과연 꼭대기까지 올라갈 수 있을까?

는 아이가 있으면 가만두지 않겠다는 눈빛이었다.

그러는 동안에도 넬리는 기둥을 잡고 낑낑거리며 올라갔다. 넬리의 얼굴은 점점 새파래졌고, 이마에서는 땀방울이 뚝뚝 떨어졌다.

"넬리, 그 정도면 됐다. 그만 내려오너라!"

아래쪽에서 선생님이 보다 못해 말했다. 그러나 넬리는 내려올 생각이 손톱만큼도 없는지 포기하지 않고 계속 기어 올라갔다. 나는 넬리가 나무 기둥에서 떨어지면 어쩌나 마음이 조마조마했다. 할 수만 있다면 넬리를 밀어 올려 주고 싶었다. 그때 갈로네와 코레티가 크게 외쳤다.

"넬리, 조금만 더 기운 내."

"힘내. 넌 할 수 있어!"

모두 한마음으로 넬리를 응원했다. 넬리는 우리를 한번 내려다보고는 더 기운을 냈다. 두 뼘 정도만 더 올라가면 나무 기둥 끝이었다. 우리는 진심으로 넬리에게 박수를 쳤다.

"훌륭하구나, 넬리. 자, 이제 됐으니 내려오너라."

선생님이 말했지만 넬리는 내려오려고 하지 않았다. 다른 아이들처럼 반드시 나무판 위에 올라가고 싶었던 것이다. 넬리는 온 힘을 다해 나무판 위로 손을 뻗더니 팔꿈치와 무릎과 다리를 차례로 올렸다. 마침내 넬리는 나무판 위에 우뚝 올라섰다. 거친 숨을 내쉬는 넬리의 얼굴 가득 미소가 번졌다.

우리는 넬리를 향해 힘차게 박수를 쳤다. 넬리는 운동장 너머에 있는 길을 바라보았다. 운동장 둘레에 심어 놓은 나무들 사이로 왔다 갔다 하는 어머니가 보였던 것이다. 넬리의 어머니는 차마 학교 쪽을 보지 못하고 있었다. 넬리는 나무 기둥을 타고 다시 내려왔다. 우리는 넬리를 진심으로 축하해 주었다. 넬리의 눈이 반짝반짝 빛났다.

수업이 끝난 뒤 아들을 데리러 온 넬리의 어머니가 넬리를 안으며 걱정스레 물었다.

"넬리, 오늘은 어땠니?"

곁에 있던 우리들이 앞다투어 대답했다.

"기계 체조를 아주 잘했어요. 넬리가 우리와 똑같이 꼭

대기까지 올라갔어요."

"넬리는 정말 용감해요."

넬리의 어머니는 진심으로 기뻐하며 우리의 머리를 다정하게 쓰다듬어 주었다. 우리는 집으로 돌아가는 두 사람의 뒷모습에서 눈을 떼지 못했다. 두 사람은 우리가 보는 것도 모르고, 손짓 발짓을 섞어 가며 즐겁게 이야기를 나누며 걸어갔다.

어머니를 잃은 갈로네 – 4월 29일 토요일

어제 아침 학교에서 정말 슬픈 소식을 들었다. 며칠 전부터 어머니의 병이 위독(危篤)하여 갈로네가 학교에 나오지 못했는데, 결국 갈로네의 어머니가 세상을 떠나고 말았다.

교실에 들어가자 선생님이 말문을 열었다.

"애들아, 갈로네의 어머니께서 돌아가셨다는구나. 내일

위독(危篤) : 병이 매우 중하여 생명이 위태로움.

갈로네가 학교에 나오면 다들 따뜻하게 맞아 주렴. 갈로네에게 농담을 하거나, 장난치면 절대 안 된다. 알겠니?"

오늘 아침 갈로네는 조금 늦게 교실에 들어왔다. 몰라보게 야위고 눈까지 충혈되어 있었다. 갈로네 같지가 않았다. 우리 모두 숨을 죽이고 갈로네를 바라보았다.

교실에 들어선 갈로네는 어머니 생각이 많이 났는지 그만 울음을 터뜨리고 말았다. 페르보니 선생님이 그런 갈로네를 꼭 껴안아 주며 말했다.

"갈로네, 용기를 내렴. 어머니는 여기 계시지 않지만 항상 너를 지켜보고 계실 거야. 네 곁에서 아직도 너를 사랑하고 계시니 슬퍼하지 말고 고개를 들려무나. 너도 네 어머니처럼 착하고 올바르게 살아야지."

선생님의 위로에 갈로네는 눈물을 닦고 자리에 앉아 책과 공책을 폈다. 하지만 어머니와 아들이 손을 잡고 가는 그림을 보더니, 책상 위에 엎드려 서글피 울었다.

선생님은 갈로네를 그냥 두라고 눈짓했다. 수업이 시작되자 나는 갈로네에게 속삭였다.

씩씩하고 용감한
갈로네에게 이런
슬픈 일이 생기다니!
갈로네, 기운 내렴.

"울지 마, 갈로네. 기운 내."

갈로네는 아무 대답이 없었다. 머리를 들어 올리지도 않았다. 나는 갈로네의 팔에 손을 얹고 갈로네가 눈물을 그치기를 기다렸다. 수업이 끝난 뒤에도 아이들은 갈로네에게 말을 걸지 못했다.

밖으로 나오자 어머니가 기다리고 있었다. 나는 어머니에게 달려가 안기고 싶었지만 무슨 일인지 어머니가 나를 밀어냈다. 잠시 뒤에야 나는 그 이유를 알았다. 갈로네가 멍하니 서서 우리를 보고 있었던 것이다.

갈로네는 이렇게 말하는 듯했다.

'나는 너처럼 다시는 어머니에게 안길 수 없어. 이제 내 곁에는 어머니가 계시지 않으니까.'

나는 어머니의 손을 잡지 않고 집으로 향했다.

8장
5월의 일기

화재 – 5월 11일 목요일

작문 숙제로 뭘 쓸까 고민_{苦悶}하고 있는데, 아래층 계단에서 시끄러운 소리가 들려왔다. 그리고 잠시 뒤 소방관 아저씨 두 명이 우리 집 문을 두드렸다.

"굴뚝에 불이 붙었는데 어느 집에서 일어난 것인지 알 수가 없습니다. 벽난로를 좀 살펴봐도 되겠습니까?"

"예, 그럼요. 들어와서 살펴보십시오."

아버지는 친절하게 대답하며 문을 열어 주었다.

고민(苦悶) : 마음속으로 괴로워하고 애를 태움.

소방관 아저씨들은 불을 피우지 않은 벽난로 여기저기를 샅샅이 조사했다. 그 모습을 지켜보던 아버지가 나에게 말했다.

"엔리코, 작문 숙제 글감이 생각나지 않는다고 했지? 그럼 소방관 이야기는 어떠니? 내가 아주 감동적인 이야기를 들려줄 테니 들어 보렴."

2년 전 어느 날 밤이었단다. 나는 발보 극장에서 나오다 다급하게 뛰어가는 소방관들을 보았어. 로마 거리에 있는 어떤 집이 불타고 있었던 거야. 무서운 불길과 시커먼 연기가 창문과 굴뚝에서 마구 뿜어져 나왔지. 집 안에 있던 사람들은 창문으로 얼굴을 내밀고 비명을 질렀어. 집 앞에 몰려든 사람들도 다급하게 소리쳤지.

"사람들이 타 죽겠어요. 소방관 아저씨, 빨리 저 사람들을 구해 주세요!"

그때 마차 한 대가 더 달려왔고 소방관 네 명이 뛰어내렸지. 소방관들은 활활 타고 있는 집 안으로 망설이지 않고 뛰어 들어갔어. 그때 4층에서 한 여자가 창문 밖으로 나오더니 난간을 붙잡고 내려오려고 하지 뭐냐. 하지만 불길이 세서 4층 난간에서 한 발짝도 내려오지 못하고 공중에 매달리고 말았단다. 창문으로는 연기가 새어 나오고, 불길은 여자의 머리를 당장이라도 태워 버릴 기세였어. 지켜보는 사람들 모두 손에 땀을 쥐었단다. 소방관들은 3층에 갇힌 사람들을 구하느라 무슨 일이 일어났는지 전혀 몰랐지.

"4층이에요. 4층에도 사람들이 있어요!"

사람들이 한목소리로 고함을 질렀어. 그 소리를 듣고 소방관 몇 명이 부랴부랴 4층으로 올라갔지. 하지만 4층의 상황은 무척 심각했어. 지옥이 따로 없었지. 기둥은 무너져 내리고 복도까지 타들어 가고 있어서 진입(進入)이 어려웠어. 사람들을 구하려면 지붕으로 올라가는 수밖에 없었단다. 얼마 뒤, 지붕 위에 사람이 나타났어. 맨 먼저

진입(進入) : 향하여 내처 들어감.

집으로 뛰어 들어갔던 소방관이었단다. 소방관은 이리저리 내려갈 곳을 찾았지만 불길이 치솟아 쉽지가 않았어. 할 수 없이 소방관은 지붕 가장자리로 걸어 4층으로 진입하려고 했지.

"저길 어떻게 지나가지? 너무 위험해!"

사람들이 두려움에 떨며 수군거렸어. 하지만 소방관은 지붕 가장자리를 성큼성큼 걷더니 도끼로 기왓장과 대들보를 뚫어 구멍을 냈지. 여자는 여전히 난간에 매달려 버둥거리고 있었고, 불길은 여자를 덮치기 직전이었어. 소방관은 구멍을 통해 방 안으로 들어갔어. 다른 소방관들도 따라 들어갔지.

"저 여자를 구할 수 있을까?"

"소방관들까지 타 죽고 말 거야. 저 불길 좀 봐. 다 틀렸어."

사람들이 절망하며 말했어. 그때 맨 처음 들어갔던 소방관이 창문으로 몸을 내밀었어. 여자가 매달려 있는 난간 쪽이었지. 소방관이 여자의 허리를 잡아 난간 위로 올리자 사람들은 환호성을 질렀단다.

때마침 긴 사다리가 도착해서 건물에 설치됐어. 그런데 사다리가 4층 난간에서 살짝 떨어진 옆쪽에 대어졌지 뭐냐. 사람들이 난간으로 나와 사다리를 타고 내려오는 것도 큰 문제였지.

"사다리를 타고 무사히 내려올 수 있을까? 제발 다치는 사람이 없어야 할 텐데⋯⋯."

사람들은 안절부절못했어. 그때 소방관 한 사람이 창밖으로 나오더니, 한 다리는 창턱에, 다른 다리는 사다리에 걸쳤어. 그리고 사람들이 난간에서 사다리로 안전하게 내려설 수 있도록 도와주었지.

난간에 매달려 있던 여자가 먼저 내려오고, 어린아이와 할아버지가 차례로 내려왔어. 처음 집으로 들어갔던 소방관은 가장 마지막으로 내려왔단다.

사람들은 박수를 치고 환호성을 지르며 소방관들을 맞았어. 특히 맨 먼저 집으로 뛰어 들어가서 난간에 매달려 있던 여자를 구한 소방관은 큰 칭찬을 받았어.

"주세페 로비노! 주세페 로비노!"

사람들은 한목소리로 그 소방관의 이름을 환호하며 감탄과 고마움을 표현했지.

아버지는 이야기를 마무리하며 말했다.

"엔리코, 이게 바로 용기라는 것이다. 머릿속으로 계산하거나 두려워 벌벌 떠는 건 진정한 용기가 아니지. 언제 한번 소방관들이 훈련하는 곳에 가서 그들이 얼마나 용감한지 보여 주고 싶구나. 또 기회가 된다면 너에게 그 용감한 소방관을 꼭 소개해 주마. 너도 만나고 싶지 않니?"

소방관 아저씨처럼 우리 주변에 있는 고마운 분들에 대해 늘 감사한 마음을 갖자.

"네, 만나고 싶어요!"

나는 큰 소리로 대답했다. 그러자 아버지가 싱긋 웃으며 말했다.

"바로 저분이다."

나는 깜짝 놀라 뒤를 돌아보았다. 소방관 아저씨들이 검사를 마치고 막 나가려던 참이었다.

"엔리코, 저분이 바로 로비노 씨다. 어서 가서 인사드려라."

아버지는 계급장을 단 소방관을 가리키며 말했다. 로비노 씨는 걸음을 멈추고 웃으며 나에게 손을 내밀었다. 내가 로비노 씨와 악수를 하자 아버지가 말했다.

"엔리코, 넌 지금 세상에서 가장 값진 악수를 했다. 이 악수를 잘 기억해 두렴."

여름 – 5월 24일 수요일

나뭇잎이 더욱 무성해지고 꽃들이 활짝 폈다. 학생들은 벌써 여름옷으로 갈아입었다. 어떤 아이들은 목이 드러나도록 시원하게 머리를 잘랐고, 어떤 아이들은 벌써부터 밀짚모자를 쓰고 다녔다.

하지만 가장 멋지게 차려입은 친구는 꼬마 벽돌공이었다. 꼬마 벽돌공은 커다란 밀짚모자를 쓰고 다녔는데, 마

치 등갓이 달린 양초처럼 보여서 절로 웃음이 났다.

코레티는 고양이 털 모자를 벗고 낡은 회색 모자를 썼다. 보티니는 스코틀랜드 식 정장을 입고 돌아다녔다.

프레코시는 대장장이들이 입는 작업복을 입었는데, 옷이 너무 커서 옷 속에 푹 파묻힌 것처럼 보였다.

가로피는 주머니에 잡동사니를 넣어서 주머니가 툭 불거져 나와 있었다. 여선생님들도 밝은색 옷으로 갈아입었다. 빨간색을 좋아하는 한 선생님은 빨간 깃털과 리본으로 화려하게 장식했다.

포 강은 이탈리아에서 가장 큰 강이야. 알프스 산맥에서 시작하여 아드리아 해로 흘러들지.

길거리에는 음악이 울려 퍼졌고, 5학년 학생들은 포 강으로 헤엄을 치러 다녔다. 벌써 방학을 기다리는 아이들도 있었다. 단 한 가지 슬픈 점이 있다면 갈로네가 여전히 상복을 입고 다닌다는 것이다. 아참, 1학년 때 담임 선생님의 기침이 더 심해진 것도 나를 슬프게 했다.

9장
6월의 일기

가리발디 장군 – 6월 3일 토요일

이탈리아의 영웅 가리발디 장군이 어제 세상을 떠났다. 가리발디 장군은 어렸을 때부터 매우 용감했다. 여덟 살 때 한 여자를 구했고, 열세 살 때는 물에 빠진 친구를 구했다. 장군이 되어서는 수십 번의 전쟁을 치렀고, 1861년 이탈리아 왕국을 세우는 데 큰 공을 세웠다. 장군은 전쟁이 끝난 뒤, 평범한 농부가 되어 땀 흘려 일했고, 남는 시간에는 마을 아이들을 가르쳤다.

이제 장군은 이 세상에 없다. 하지만 이탈리아에 대한 그분의 사랑과 위대한 업적은 기억에 오래 남을 것이다.

무더위 - 6월 16일 금요일

날씨가 몹시 더웠다. 무더위에 모두들 지쳐서 맥이 풀렸다. 시시때때로 갈증이 느껴지고, 눈도 스르르 감겼다.

더위를 많이 타는 넬리는 살이 더 빠졌고, 수업 시간에도 꾸벅꾸벅 졸았다. 갈로네는 넬리가 혼날까 봐 무척 신경을 썼다. 노비스는 교실에 학생이 많아서 공기가 나쁘다고 투덜거렸다.

공부를 하려면 어마어마한 의지가 필요했다. 나는 수업이 끝나자마자 교문 밖에서 기다리는 어머니에게 달려갔다. 어머니는 나를 보자마자 내 얼굴빛을 살폈다. 그리고 더위에 지치지 않았는지 물었다. 집에서 숙제를 하고 있을 때도 어머니는 종종 물었다.

"공부는 할 만하니?"

아침 6시에 나를 깨우러 올 때에도 안쓰러운 듯 내 머리를 쓰다듬으며 말했다.

"엔리코, 이제 조금만 있으면 방학이야. 그러면 푹 쉴 수 있지. 방학이 되면 시골에 가서 실컷 놀자꾸나."

그러면서 어머니는 땡볕 아래서 하루 종일 일하는 아이들 얘기를 들려주었다. 강가의 하얀 자갈 위에서 살갗이 까맣게 타도록 일하는 아이들, 하루 종일 가스 불꽃을 들여다보며 일하는 유리 공장 아이들. 그 아이들은 우리보다 더 일찍 일어나야 하고, 심지어 방학도 없을 것이다. 나는 그 말을 듣고 더 힘을 내자고 생각했다.

그런 면에서 데로시는 정말 대단하다. 데로시는 아무리 더워도 졸지 않는다. 데로시 말고 더위에 꺾이지 않은 친구가 한 명 더 있다. 바로 스타르디다. 스타르디는 졸리면 손가락으로 얼굴을 쿡쿡 찌르고, 날이 더울수록 눈을 더 부릅뜨고 책에 집중集中한다. 위대한 장사꾼 가로피도 눈빛이 초롱초롱하다. 가로피는 빨간 종이로 부채를 만들어 친구들에게 파느라 더운 줄도 모른다.

가장 훌륭한 친구는 코레티다. 코레티는 새벽 5시에 일어나 아버지와 장작을 나르고 나서 학교에 온다. 그러느

집중(集中) : 한 가지 일에 모든 힘을 쏟아부음.

라 낮 11시가 되면 고개를 떨어뜨리고 잠이 들고 만다. 코레티는 친구들에게 자기를 꼬집거나 때려서라도 깨워 달라고 부탁했다.

코레티는 오늘도 꾸벅꾸벅 졸았다. 페르보니 선생님이 코레티를 보고 큰 소리로 이름을 불렀다.

"코레티!"

소리를 못 들었는지 코레티는 꼼짝도 하지 않았다. 선생님은 목소리를 더 높여 코레티를 불렀다.

"코레티, 일어나라!"

그러자 코레티네 집 근처에 사는 숯장수 아들 베티가 일어나 말했다.

"선생님, 코레티는 새벽 5시부터 7시까지 장작을 나르고 와서 어쩔 수 없어요."

그 말을 듣고 선생님은 코레티를 그냥 내버려 둔 채 수업을 계속했다. 그리고 수업이 끝나자 코레티에게 가까이 다가가 손으로 바람을 일으켜 잠을 깨웠다. 코레티는 깜짝 놀라 자리에서 벌떡 일어났다.

"코레티, 괜찮다. 게을러서가 아니라 집안일을 돕느라 피곤해서 그런 거잖니."

선생님은 인자하게 웃으며 코레티의 머리에 입맞춤을 해 주었다.

감사의 마음 – 6월 28일 수요일

이제 7월에 있는 시험만 치르면 4학년도 끝이다. 나는 작년 10월부터 지금까지 배운 것들을 생각해 보았다. 그때에 비해 지금 얼마나 똑똑해졌는지 모른다!

나는 생각을 말이나 글로 잘 옮길 수 있게 되었다. 할머니와 할아버지를 대신해 계산도 해 드릴 수 있다. 책에 있는 내용도 전보다 잘 이해한다. 정말 뿌듯하다.

그동안 나를 가르쳐 주신 분들이 얼마나 많은지 모른다. 학교와 집, 길에서 만난 많은 사람들이 나에게 가르침을 주었다. 모두에게 감사한 마음을 전하고 싶다.

첫 번째로 페르보니 선생님에게 감사하다. 선생님은 정말로 다정하고 마음이 넓다.

내 친구 데로시에게도 감사하다. 데로시가 친절하고 자세하게 설명해 줘서 나는 몇 번이나 어려운 문제들을 쉽게 풀 수 있었다. 스타르디는 강철 같은 의지만 있으면 무슨 일이든 할 수 있다는 것을 몸소 보여 주었다. 갈로네는 모든 사람에게 친절하고 너그러워서 늘 본받을 만했다. 프레코시와 코레티는 힘든 상황 속에서도 바른 마음에 대한 모범模範을 보여 주었다.

1년 동안 엔리코의 몸과 마음이 부쩍 자랐어. 좋은 선생님과 친구들, 그리고 부모님 덕분이겠지?

　내 최고의 선생님이자 친구는 아버지다. 아버지는 언제나 내게 좋은 충고를 해 준다. 천사 같은 어머니도 빼놓을 수 없다. 어머니는 내가 힘들 때 함께 힘들어하고, 내가 기쁠 때 같이 기뻐해 준다. 공부를 하고 있으면 내 이마를 가만히 쓰다듬어 주기도 한다. 희생과 사랑으로 나를 지금껏 보살펴 준 부모님에게 깊이 감사드린다.

모범(模範) : 본받아 배울 만한 대상.

10장
7월의 일기

시험 − 7월 4일 화요일

마침내 시험이 시작되었다. 학교에서든 길에서든 다들 시험이나 점수, 진급, 낙제 등에 대한 이야기를 했다. 부모님들도 만나면 시험 이야기를 하느라 바빴다.

어제 아침에는 작문 시험을 봤고, 오늘은 수학 시험을 봐야 했다. 학교에 가니 교문 앞에서 어머니들이 아이들을 붙잡고 주의를 주고 있었다. 어떤 어머니는 교실까지 들어와 펜과 잉크를 잘 챙겼는지 살폈다. 한 어머니는 교실을 나가며 큰 소리로 외쳤다.

"힘내라! 끝까지 포기하지 말고 집중해라!"

코티 선생님이 시험 감독관으로 들어왔다. 선생님은 덥수룩하게 수염을 길러 사자처럼 보였다. 코티 선생님의 얼굴만 보고도 어떤 아이는 얼굴이 새파랗게 질렸다. 코티 선생님이 시청에서 보낸 시험 봉투를 열어 큰 소리로 문제를 읽어 줄 때 아이들은 숨소리도 내지 않았다. 선생님은 매서운 눈으로 우리를 한 사람 한 사람 돌아보았다. 만약 우리 모두가 진급할 수 있게 선생님이 정답을 불러 주었다면 다들 선생님을 좋아했을지도 모른다.

한 시간쯤 지나자 아이들이 괴로워하기 시작했다. 여기저기서 한숨 소리가 터져 나왔다. 흐느껴 우는 아이도 있었다. 크로시는 괜히 주먹으로 자기 머리를 쥐어박았다. 스타르디는 한 시간 가까이 문제만 들여다보다가 시간이 거의 다 끝날 때쯤 답을 모두 적었다. 선생님이 책상 사이를 왔다 갔다 하며 말했다.

"아직 시간이 남았으니까 침착하게 마무리해라."

코티 선생님은 용기를 잃고 울상을 짓고 있는 아이들 앞에 가서 사자 울음소리를 흉내 내기도 했다. 긴장을 풀

어 주기 위해서였다. 잡아먹을 것처럼 코티 선생님이 입을 크게 벌리면 아이들은 웃음을 터뜨리며 긴장을 풀었다. 사실 코티 선생님은 우리 모두가 무사히 진급하기를 바랐던 것이다.

11시쯤 무심코 창밖을 보니 부모님들이 서성거리고 있었다. 프레코시의 아버지는 대장간에서 바로 왔는지 얼굴이 새까맸다. 채소 장수 크로시의 어머니도 보였고, 검은 옷을 입은 넬리의 어머니도 눈에 띄었다. 모두 초조한 모습이었다.

12시가 되기 얼마 전에 창밖을 다시 바라보았다. 아버지와 눈이 마주쳤다. 반가워서 저절로 웃음이 나왔다.

12시가 되자 시험이 끝나고 선생님이 답안지를 거두어 갔다. 부모님들은 교실 문을 나서는 아이들에게 달려와 이것저것 물었다. 아이들은 다른 친구와 답을 맞춰 보거나 공책을 펴 보았다.

"몇 문제 풀었니?"

"이 문제는 답이 뭐야?"

선생님들도 학부모들에게 둘러싸여 정신이 없었다. 아버지는 내 시험지를 살펴보더니 빙그레 웃었다.

"잘했다, 엔리코!"

옆에서는 프레코시의 아버지가 아들의 시험지를 들여다보고 있었다. 프레코시의 아버지가 우리 아버지에게 물었다.

"죄송합니다만, 정답 좀 가르쳐 주시겠습니까?"

아버지가 친절하게 정답을 알려 주었다. 프레코시의 아버지는 시험지를 보며 한 문제 한 문제 답을 확인했다.

"잘했다, 프레코시!"

잠시 뒤, 답이 다 맞았는지 프레코시의 아버지가 큰 소리로 외쳤다. 아버지와 프레코시의 아버지는 친구처럼 정답게 악수를 나누었다.

"그럼 구두시험口頭試驗 때 또 뵙겠습니다."

"네, 잘 들어가십시오."

구두시험(口頭試驗): 시험관의 물음에 말로 답하는 시험.

나도 프레코시와 인사를 하고 헤어졌다. 아버지와 걸어 가는데 뒤에서 흥겨운 노랫소리가 들렸다. 노래를 부르는 사람은 놀랍게도 프레코시의 아버지였다.

구두시험 - 7월 7일 금요일

오늘은 구두시험을 보았다. 우리는 8시까지 모두 교실에 모였다. 8시 15분부터 네 명씩 짝을 이루어 큰 교실로 불려 갔다. 그 교실에는 녹색 테이블보가 덮인 큰 책상이 놓여 있었고, 그 앞에 교장 선생님과 다른 선생님 네 분이 앉아서 우리를 기다렸다. 그중에는 우리 담임 선생님인 페르보니 선생님도 있었다.

아, 페르보니 선생님! 나는 오늘 아침에야 페르보니 선생님이 우리를 얼마나 사랑하는지 깨달았다.

다른 선생님이 질문을 던질 때마다 페르보니 선생님은 걱정 어린 눈길로 우리를 가만히 쳐다보았다. 우리가 대답을 못하면 불안해하고, 대답을 잘하면 얼굴이 밝아졌다. 선생님은 우리 대답을 귀담아듣고는 손이나 머리, 눈빛으로 여러 가지 신호信號를 보냈다.

'그래, 잘했어!'

'좀 더 차근차근 말해 보렴!'

'긴장하지 말고 편안히 이야기하렴.'

선생님은 할 수만 있다면 우리에게 정답이라도 말해 주고 싶은 듯했다.

"잘했다. 이제 가도 된다."

한 선생님이 내게 말했다. 그러자 담임 선생님의 눈이 기쁨으로 빛났다.

교실로 돌아온 나는 갈로네 옆에 앉았다. 시험을 잘 봐서 다행이라고 생각했지만 솔직히 기쁘지는 않았다. 아버지의 직장 문제로 토리노로 이사를 가야 했기 때문이다. 정든 친구들과도 헤어져야 했다. 이제 갈로네와 다른 친구들을 영영 볼 수 없다고 생각하니 한없이 슬펐다.

신호(信號) : 일정한 부호, 표지, 소리, 몸짓 따위로 특정한 내용 또는 정보를 전달하거나 지시를 함.

나는 갈로네에게 우리 집이 이사를 가게 되었다는 얘기를 하기로 마음먹었다.

"갈로네, 이번 가을에 우리 집이 토리노로 이사를 가."

내 말을 듣고 사진을 장식하고 있던 갈로네의 손이 멈칫했다. 갈로네는 많이 놀란 듯했다.

"그럼 이제 학교에 같이 못 다니는 거야?"

"응……."

나는 힘없는 목소리로 대답했다. 갈로네는 잠시 아무 말이 없었다. 그러더니 고개를 들지 않고 조용히 물었다.

"우리들을 기억해 줄 거지?"

"물론이지, 갈로네. 모두 잊지 못할 거야. 그중에서도 특히 너는…… 절대 잊지 않을게!"

정든 친구들과 헤어지는 건 정말 슬픈 일이야.

갈로네는 매우 진지한 눈으로 나를 쳐다보았다. 그 눈에 수천 가지 말을 담고 있었다. 갈로네가 허리를 펴고 나에게 손을 내밀었다. 나도 손을 내밀어 갈로네

의 따뜻하고 믿음직한 손을 꼭 붙잡았다.

그때 담임 선생님이 교실로 들어왔다.

"애들아, 모두 잘하고 있다! 남은 아이들도 침착하게 하길 바란다. 선생님은 너희들이 정말 자랑스럽구나!"

선생님은 급히 나가면서 우리를 웃겨 주려고 넘어지는 시늉까지 했다. 지금까지 한 번도 우리에게 그런 모습을 보인 적이 없는데……. 선생님은 진심으로 기뻐했다. 지금의 기쁨은 선생님이 지난 1년 동안 우리를 열심히 가르치고 사랑한 대가^{代價}였다. 이 순간을 위해 선생님은 오랫동안 고생하고 애쓰셨는지도 모른다. 더 많은 기쁨을 드리지 못한 게 아쉽고 미안했다.

앞으로 선생님을 생각할 때마다 오늘 이 모습이 떠오를 것 같다. 어른이 되어 선생님을 찾아오면, 그때는 내가 선생님의 흰머리에 입맞춤을 해 드리고 싶다.

대가(代價) : 노력이나 희생을 통하여 얻게 되는 결과.

이별 – 7월 10일 일요일

성적표와 진급 증명서를 받으려고 학교에 갔다. 휴게실과 교실은 학부모와 학생들로 매우 북적거렸다. 갈로네의 아버지, 데로시의 어머니, 넬리의 어머니와 크로시의 어머니, 꼬마 벽돌공의 아버지와 스타르디의 아버지도 와 있었다.

페르보니 선생님이 문을 열고 들어오자 교실이 조용해졌다. 선생님은 성적표와 진급생 이름을 발표했다.

"데로시, 진급! 70점 만점이구나. 네가 1등이다."

데로시가 곱슬머리를 흔들며 멋지게 웃었다. 데로시의 어머니도 손을 흔들었다. 갈로네와 가로피, 칼라브리아 소년도 진급했다. 낙제생도 몇 명 있었다. 그중 한 친구는 인상을 쓰고 있는 아버지를 보고 눈물을 흘렸다. 그러자 선생님이 그 아버지에게 말했다.

"아버님, 단지 운이 나빴을 뿐입니다. 그리고 이 아이 잘못만은 아니니까 너무 나무라지 마십시오."

선생님은 다시 큰 소리로 이름과 점수를 불렀다.

"넬리, 진급! 넌 62점이다."

넬리의 어머니는 넬리에게 달려와 입맞춤을 했다. 스타르디는 67점을 받아 진급했지만 웃지 않았다. '더 잘할 수 있었는데…….' 하며 후회後悔하는 것 같았다.

마지막 순서는 멋진 옷을 입고 머리를 깨끗하게 빗어 넘긴 보티니였다. 보티니도 진급을 했다.

발표를 다 마치고 나서 선생님이 말했다.

"너희와 함께하는 것도 오늘이 마지막이구나. 우리는 이 교실에서 1년을 함께 보냈다. 하지만 이제 작별해야 한다고 생각하니 섭섭하고 마음이 아프구나."

페르보니 선생님은 참 훌륭하신 선생님 같지 않니?

선생님은 잠시 말을 멈추었다가 다시 입을 열었다.

"만약 내가 너희에게 인내심을 잃고 화낸 일이 있다면, 그러지 않으려고 노

후회(後悔) : 이전의 잘못을 깨치고 뉘우침.

력했지만 혹 불공평하거나 엄하게 대한 적이 있다면 용서해 주길 바란다."

"아니에요, 선생님. 절대 그런 적이 없어요."

아이들이 진심을 담아 크게 외쳤다.

"다음 학기에는 너희를 자주 볼 수 없을 거야. 하지만 나는 너희들을 언제까지나 기억할 거란다. 잘 가라. 그리고 또 만나자꾸나."

선생님은 교단에서 내려와 우리와 일일이 악수를 했다. 선생님에게 인사를 하고 밖으로 나온 아이들은 친구들과도 아쉬워하며 작별 인사를 나누었다.

항상 데로시를 질투하던 보티니도 오늘은 먼저 데로시를 안아 주었다. 나는 토끼 흉내를 내는 꼬마 벽돌공에게 입맞춤을 했다. 가로피는 나에게 작은 선물을 주었다. 넬리는 갈로네와 헤어지기 싫어서 갈로네 옆에 꼭 붙어 있었다. 그 모습

엔리코의 4학년이 이렇게 마무리되는구나. 정든 학교와 친구들과 헤어져야 하니 많이 서운하겠어.

이 무척 정다웠다.

"갈로네, 잘 가."

"가을에 다시 만나자!"

아이들은 갈로네를 껴안고 인사했다. 갈로네의 아버지
는 그 모습을 흐뭇하게 바라보았다. 나는 마지막으로 갈
로네에게 작별 인사를 하면서 눈물을 꾹 참아야 했다. 갈
로네가 내 이마에 입을 맞추어 주었다.

친구들과 작별 인사를 마치고 부모님에게 달려가자 아
버지가 물었다.

"엔리코, 친구들에게 다 인사했니?"

나는 고개를 끄덕였다.

"그럼 이제 작별이구나."

아버지가 서운한 표정으로 학교를 둘러보았다. 어머니
도 작은 목소리로 '안녕.' 하며 인사를 했다. 그러나 나는
목이 메어 아무 말도 할 수 없었다.

PART 3 PART 3
PART 3 PART 3
PART 3 PART 3 PART 3
PART 3 PART 3 PART 3
PART 3 PART 3 PART 3 PART 3
PART 3 PART 3 PART 3 PART 3
PART 3 PART 3 PART 3 PART 3 PART 3
PART 3 PART 3 PART 3 PART 3 PART 3
PART 3 PART 3 PART 3 PART
PART 3 PART 3 PART 3
PART 3 PART 3 PART 3

깊어지는 논술

엔리코의 일기가 참 감동적이지?
가족과 친구, 스승의 소중함을
깊이 느낄 수 있는 기회가 됐을 거야.

깊어지는 논술

사랑의 학교 (Cuore)

〈사랑의 학교〉의 원래 제목은 '쿠오레(Cuore)'예요. 이탈리아 말로 '마음'이라는 뜻을 지닌 쿠오레는 사랑, 우정, 열정 등의 의미도 포함하고 있지요. 이 작품은 초등학교 4학년인 엔리코의 눈을 통해 학교와 마을, 국가에서 벌어지는 여러 가지 일들을 그리고 있어요. 엔리코와 친구들은 누군가를 사랑하는 마음, 배려하는 마음, 자신감 등의 여러 선한 마음이 우리에게 가장 중요하다는 것을 알려 주고 있어요.

아미치스는 이탈리아가 통일된 직후에 이 작품을 발표했어요. 통일된 이탈리아에 나라를 사랑하고 가족과 친구를 사랑하는 선량한 마음들이 꼭 필요하다는 것을 알리려고 쓴 작품이지요.

▲ 〈사랑의 학교〉에 실린 삽화예요. 시끌벅적한 개학식 날의 한 풍경이지요.

에드몬도 데 아미치스
(Edmondo De Amicis, 1846 ~1908)

에드몬도 데 아미치스는 1846년 이탈리아의 오네리아에서 태어났어요. 당시 이탈리아는 여러 나라로 나뉘어져 있었어요. 육군 사관 학교를 졸업한 아미치스는 전쟁터로 달려가 이탈리아 통일을 위해 싸울 정도로 조국에 대한 사랑이 깊었어요.

통일이 되고 나서 1868년에 〈군대 생활〉을 발표하여 작가로서 주목을 받았고, 그 뒤 세계 각지를 여행하며 많은 여행기를 썼지요. 교육적인 내용을 담은 〈사랑의 학교〉는 이탈리아 통일 직후라는 시대적 배경을 바탕으로 씌어진 작품이지만 전 세계 사람들에게 많은 사랑을 받았답니다.

▲ 〈쿠오레〉란 제목으로 발표된 〈사랑의 학교〉의 표지예요.

대표작으로는 〈모로코〉, 〈파리의 추억〉 등의 기행문과 〈선생님의 소원〉, 〈노동자들의 여선생님〉 등이 있어요.

여러분 마음속에도 사랑, 우정, 열정이 가득하기를 바랄게요!

모두가 행복한 사랑의 학교

엔리코는 개학식 날 울적한 마음을 떨칠 수가 없었어요. 3학년 때 담임 선생님과 헤어져야 하는 것도 싫었고, 정든 반 친구들과 헤어지는 것도 아쉬웠거든요. 게다가 새로운 담임 선생님은 웃지도 않고 무척 무뚝뚝해 보였으니 그 마음이 어땠겠어요? 하지만 하루하루 시간이 지날 때마다 엔리코는 자신의 생각이 틀렸다는 것을 깨달았어요. 페르보니 선생님은 매우 다정한 분이었고, 소중한 친구들도 많았거든요.

새로운 환경이나 새로운 친구들을 만날 때 긴장해서 움츠러든 적이 있을 거예요. 특히 새 학년이 시작된 개학식 날에는 그 마음이 몇 배나 크지요.

그럴 때는 긴장을 풀고 여유롭게 주변을 둘러보세요. 재미있고 신 나는 일들이 여러분을 기다리고 있을 테니까요.

우표 수집을 좋아하는 가로피는 무척 쾌활한 친구예요. 장사꾼인 아버지의 영향 때문인지 언제나 재미있는 사업을 생각해 내고, 씩씩하게 뛰어다니지요.

눈싸움을 하다가 지나가는 할아버지의 눈을 다치게 했을 때는 솔직히 겁이 많이 났을 거예요. 많은 사람들 앞에서 잘못을 빌고 용서를 구해야 했으니까요. 하지만 가로피는 용기를 내어 잘못을 시인하고 할아버지에게 진심을 담아 사과했답니다. 사람들이 가로피를 혼내려고 하자 교장 선생님이 나서서 변호해 주었어요. 가로피가 자기의 잘못을 정직하게 털어놓았기 때문이지요.

많은 사람들 앞에서 잘못을 시인한다는 것은 쉽지 않은 일이에요. 하지만 진정한 용기란 자신의 잘못을 떳떳하게 인정하는 데서 나타난다는 것을 잊지 마세요.

갈로네는 다른 아이들에게 놀림을 받는 곱사등이 넬리를 보호해 주었어요. 넬리는 자기도 다른 아이들처럼 뭐든지 잘할 수 있다는 것을 보여 주고 싶었어요. 그래서 어머니의 반대도 뿌리치고 체육 시간에 온 힘을 다해 나무판 위로 올라가요. 넬리의 용기 있는 행동을 보면서 친구들도 한목소리로 넬리를 응원했어요.

미리부터 자신감을 잃고 포기하기보다 넬리처럼 용기 있게 도전한다면 여러분도 하고 싶은 일을 해낼 수 있을 거예요. 넬리가 나무판 위에 우뚝 선 것처럼 말이에요.

엔리코네 반에는 프레코시라는 가엾은 친구도 있었어요. 프레코시는 대장장이의 아들이었어요. 하지만 술주정뱅이 아버지 때문에 공부도 제대로 할 수 없었고, 가끔은 아버지에게 매를 맞기도 했지요. 그렇지만 프레코시는 아버지를 원망하지 않고 더욱 열심히 공부해서 2등 상을 받았답니다. 프레코시의 선량한 마음은 아버지를 완전히 변화시켰어요. 아버지가 프레코시를 위해 술을 끊고 다시 열심히 일하게 된 것이지요.

　환경을 탓하고 좌절하기보다 프레코시처럼 선량한 마음을 잃지 않고 힘든 환경을 이겨 낸다면 값진 상이 기다리고 있을 거예요.

숯장수의 아들 베티와 귀족의 아들 노비스가 싸움을 일으켰어요. 노비스는 '가난뱅이 숯장수 아들'이라고 베티를 무시하고 놀렸어요. 하지만 다음 날 노비스의 아버지는 아들을 엄하게 꾸짖고 용서를 빌게 했지요. 반 친구들끼리는 귀족이든 평민이든, 부자든 가난한 사람이든 차별이 없어야 한다는 것을 가르쳐 주고 싶었던 거예요.

평등에 대하여 깊이 생각해 보세요. 엔리코네 반 친구들처럼 부자든 가난한 사람이든 차별하지 않고 모두가 평등하게 지낸다면 세상이 보다 평화롭고 아름답지 않을까요?

〈사랑의 학교〉를 쓴 아미치스는 여러 지역과 여러 계층의 사람들이 서로 사랑하고 화합하기를 바랐어요. 그래서 이 작품에 칼라브리아 같은 다른 지역에서 전학 온 학생과 귀족, 벽돌공, 대장장이, 장사꾼, 숯장수, 죄수, 선생님, 장애인 등 다양한 계층의 사람들을 등장시킨 것이지요.

아미치스는 이런 다양한 계층의 사람들이 더불어 살아가는 모습을 통해 모두가 행복한 세상을 꿈꾸었답니다.

학교라는 작은 공간에서 펼쳐지는 얘기지만, 우리가 살아가는 데 있어 꼭 필요한 가치들을 일깨워 주는 작품이야.

그래! 우정과 용기, 자신감이나 진실한 마음에 대한 이야기들이 작품에 담겨 있어 큰 감동을 주는 것 같아.

PART 4

PART 4 PART 4
PART 4 PART 4 PART 4
PART 4 PART 4 PART 4 PART 4
PART 4 PART 4 PART 4 PART 4 PART 4
PART 4 PART 4 PART 4 PART 4 PART 4
PART 4 PART 4 PART 4 PART 4 PART 4
PART 4 PART 4 PART 4 PART 4
PART 4 PART 4 PART 4 PART 4
PART 4 PART 4 PART 4

논술 워크북

논술을 통해
생각하는 힘을 길러 보자!

PART 4

논술 워크북

1-1 〈사랑의 학교〉는 어떠한 형식으로 쓰인 글인가요?

1-2 갈로네는 어떠한 친구이며, 친구들 사이에서 어떤 역할을 하나요?

HINT

작품을 꼼꼼히 읽고 물음에 답하세요.

2 프레코시의 대장장이 아버지는 아들을 학대하던 술주정
　뱅이였지만, 변화하여 자상한 아버지가 되었어요. 아버
　지의 마음을 움직이고 반성하게 만든 것이 무엇일까요?

HINT

아버지가 변화한 것이 단지 프레코시의 좋은 성적 때문이었을까요?

3 〈사랑의 학교〉에서 넬리는 따뜻하고 정의감 넘치는 갈로
  네에게 많은 도움을 받았어요. 그렇지만 넬리가 갈로네
  에게 도움을 주는 부분도 분명히 있을 거예요. 넬리가 갈
  로네에게 어떤 도움을 주었을지, 혹은 어떤 도움을 줄 수
  있을지 생각해 보고, 이야기해 보세요.

HINT

도움 중에는 눈에 보이는 도움만 있는 것이 아니라 눈에 보이지 않는 도움도
있어요.

4 프란티는 엔리코네 반에서 골칫덩이 악동이었어요. 여러
분은 '프란티를 다른 순진한 학생들로부터 격리시켜야
한다.' 는 주장에 대하여 어떻게 생각하나요? 여러분의 생
각에 따라서 이 주장을 찬성하거나 반대하는 논증을 만들
어 보세요.

HINT

주장을 잘 뒷받침할 수 있는 근거를 생각해 보세요.

5 다음 글은 〈사랑의 학교〉의 일부분이에요. 글을 읽고 진정한 용기란 어떤 것인지에 대하여 논술해 보세요.

> 얼마 뒤, 지붕 위에 사람이 나타났어. 맨 먼저 집으로 뛰어 들어갔던 소방관이었단다. 소방관은 이리저리 내려갈 곳을 찾았지만 불길이 치솟아 쉽지가 않았어. 할 수 없이 소방관은 지붕 가장자리로 걸어 4층으로 진입하려고 했지.
>
> "저길 어떻게 지나가지? 너무 위험해!"
>
> 사람들이 두려움에 떨며 수군거렸어. 하지만 소방관은 지붕 가장자리를 성큼성큼 걷더니 도끼로 기와장과 대들보를 뚫어 구멍을 냈지. 여자는 여전히 난간에 매달려 버둥거리고 있었고, 불길은 여자를 덮치기 직전이었어. 소방관은 구멍을 통해 방 안으로 들어갔어. 다른 소방관들도 따라 들어갔지.
>
> "저 여자를 구할 수 있을까?"
>
> "소방관들까지 타 죽고 말 거야. 저 불길 좀 봐. 다 틀렸어."
>
> 사람들이 절망하며 말했어. 그때 맨 처음 들어갔던 소방관이 창문으로 몸을 내밀었어. 여자가 매달려 있는 난간 쪽이었지. 소방관이 여자의 허리를 잡아 난간 위로 올리자 사람들은 환호성을 질렀단다.
>
> 때마침 긴 사다리가 도착해서 건물에 설치됐어. 그런데 사다리가 4층 난간에서 살짝 떨어진 옆쪽에 대어졌지 뭐냐. 사람들

이 난간으로 나와 사다리를 타고 내려오는 것도 큰 문제였지.

"사다리를 타고 무사히 내려올 수 있을까? 제발 다치는 사람이 없어야 할 텐데……."

사람들은 안절부절못했어. 그때 소방관 한 사람이 창밖으로 나오더니, 한 다리는 창턱에, 다른 다리는 사다리에 걸쳤어. 그리고 사람들이 난간에서 사다리로 안전하게 내려설 수 있도록 도와주었지.

난간에 매달려 있던 여자가 먼저 내려오고, 어린아이와 할아버지가 차례로 내려왔어. 처음 집으로 들어갔던 소방관은 가장 마지막으로 내려왔단다.

사람들은 박수를 치고 환호성을 지르며 소방관들을 맞았어. 특히 맨 먼저 집으로 뛰어 들어가서 난간에 매달려 있던 여자를 구한 소방관은 큰 칭찬을 받았어.

"주세페 로비노! 주세페 로비노!"

사람들은 한목소리로 그 소방관의 이름을 환호하며 감탄과 고마움을 표현했지.

– 제8장

HINT

이 이야기를 들려준 엔리코의 아버지는 머릿속으로 계산하거나 두려워서 벌벌 떠는 건 진정한 용기가 아니라고 말했어요.

6 다 쓴 글을 친구나 부모님 앞에서 발표해 보세요. 그리고 듣는 사람이 고개를 끄덕이는지 아니면 고개를 갸우뚱하는지 반응도 살펴보세요. 발표가 끝난 후 평가도 부탁해 보세요.

가이드북
GUIDE BOOK

이 책을 읽으며
든 생각을 차근차근
정리해 봐!

작품의 전체 줄거리

4학년이 된 엔리코는 새로운 반에 배정을 받습니다. 선생님은 첫인상이 무서워 보였지만, 사실은 다정한 분입니다. 착한 반 친구들 사이에서 엔리코의 학교 생활은 즐겁습니다. 코레티는 매일 장작을 나르고 집안일까지 돌보면서도 열심히 공부하고, 대장장이의 아들 프레코시는 아버지에게 학대를 당해 기가 죽어 있으면서도 착한 마음을 잃지 않습니다. 곱사등이 넬리는 몸이 약하면서도 학교 생활에 열심이고, 또래보다 나이가 많고 정의로운 갈로네는 넬리와 반 친구들을 항상 도와줍니다. 가로피는 장사에 소질이 있고, 스타르디는 심한 공부 벌레입니다.

아이들 사이에 일어나는 일들은 어른들을 변화시킵니다. 프레코시의 아버지도 술을 끊고 다정한 아버지가 됩니다. 많은 일이 있었지만 행복한 1년이 지나가고 학교는 방학을 맞습니다. 이사를 가게 된 엔리코는 정든 학교를 떠나야 해서 매우 아쉬워합니다.

〈사랑의 학교〉의 의미

이탈리아의 작가 에드몬도 데 아미치스가 1886년에 발표한 작품입니다. 초등학교 4학년이 된 엔리코가 학교에서 일어나는 일들을 적은 일기 형식으로 되어 있으며, 학교 생활 사이사이에 담임 선생님이 들려주는 이야기나 아버지가 들려준 이야기 등이 삽입되어 있습니다. 학교나 아이들의 집에서 일어나는 일들을 그린 각각의 이야기를 통해 따뜻한 우정뿐만 아니라 이웃과 나누는 사랑도 느낄 수 있습니다. 아미치스는 이 작품을 통해 이탈리아 국민의 애국심을 높이려는 의도를 갖고 있었다고 합니다. 〈사랑의 학교〉원작에는 우리나라에 잘 알려진 〈엄마 찾아 삼만 리〉가 '5월의 이야기'로 들어 있기도 합니다.

1-1 사고 영역 _ 사실적 이해

본문을 잘 읽었는지 확인하는 문제입니다.

〈사랑의 학교〉는 엔리코의 일기 형식으로 되어 있습니다. 4학년이 된 새 학기 첫날부터 학기가 끝나는 마지막 날까지 일어나는 일들이 날짜별로 기록되어 있습니다

1-2 사고 영역 _ 사실적 이해

본문을 잘 읽었는지 확인하는 문제입니다.

갈로네는 다른 아이들보다 두 살 더 많아서 덩치가 크고 어른스러운 반 친구입니다. 친구들의 어려움을 알고 도와주는 다정한 성격이면서도, 반에서 약한 아이가 괴롭힘을 당하는 정당치 못한 일이 생길 때는 나서서 싸워 주는 정의로운 성격을 갖고 있습니다. 친구들의 신뢰를 받는 갈로네는 반에서 듬직한 형과 같은 존재입니다.

CHECKPOINT

본문을 잘 읽고 내용을 바르게 파악했는지 확인합니다.

2 사고 영역 _ 비판적 사고

작품에 나오는 인물의 심리를 분석해 보면서 비판적 사고력을 기릅니다.

프레코시의 아버지는 술주정뱅이로 아들을 학대하는 나쁜 아버지였습니다. 그러던 어느 날 아들 프레코시가 장학관이 주는 2등 상을 받자, 그것을 계기로 전혀 딴사람으로 변합니다.

단순히 프레코시의 성적이 뛰어나서 그렇게 변한 것은 아닙니다. 프레코시의 아버지는 아들이 자신의 무관심과 학대 속에서도 혼자서 얼마나 노력했는지, 뛰어난 성적이라는 결과 뒤에 숨어 있는 눈물겨운 노력을 알게 된 것입니다. 무수히 학대를 당하면서도 비뚤어지지 않고 성실하게 생활하는 아들을 보고서 프레코시의 아버지는 불성실하고 괴팍한 자신의 삶을 반성합니다.

또 프레코시가 아버지를 미워하기보다 도리어 이해하고, 열심히 공부해서 아버지를 기쁘게 해 드리고 싶어 했다는 것을 알게 됩니다. 어려운 환경에서도 선량한 마음을 잃지 않은 프레코시는 아버지에게 깊은 감동을 주었고, 아버지를 성실하고 따뜻한 사람으로 변화시켰습니다.

CHECKPOINT

프레코시의 아버지를 변화시킨 것이 뛰어난 성적 그 자체가 아니라 프레코시의 선량한 마음과 성실함 때문이었다는 것을 분석할 수 있어야 합니다.

③ 사고 영역 _ 창의적 사고

등장인물의 관계를 다른 각도에서 생각해 보면서 창의력을 기릅니다.

〈사랑의 학교〉에서 넬리는 몸에 장애를 안고 있어서 다른 아이들의 놀림감이 되곤 했습니다. 이때 도움을 준 사람이 갈로네입니다. 갈로네는 또래보다 나이도 많고 덩치도 크고 어른스럽습니다. 그래서 약자의 입장에 처한 넬리에게 도움을 줄 수 있었습니다.

겉으로는 갈로네가 넬리에게 일방적으로 도움을 주는 것처럼 보이지만, 사실 알고 보면 갈로네도 넬리에게 도움을 받았을 것입니다. 사람은 누구나 다른 사람에게 자신만의 방식으로 도움을 줄 수 있기 때문입니다.

갈로네가 넬리를 돌보는 것이 겉으로 보기에는 일방적인 도움을 주는 것처럼 보이지만, 사실은 그 행동으로 갈로네도 도움을 받고 있을지 모릅니다. 의도적인 것은 아니지만, 넬리를 돕는 행동을 통해서 반 친구들에게 멋진 친구로 인정받을 수 있기 때문입니다.

그 외에도 넬리가 갈로네를 도울 방법은 많습니다. 예를 들어 갈로네의 어머니가 돌아가셨을 때, 갈로네를 위로해 준다든가 함께 시간을 보낸다든가 하는 것도 넬리가 갈로네를 돕는 방법이 될 것입니다.

CHECKPOINT

넬리와 갈로네의 관계를 깊이 있게 들여다볼 수 있어야 합니다.

사고 영역 _ 논리적 사고

하나의 주장을 찬성하거나 반대하는 논증을 만들어 보면서, 주장을 설득력 있게 구성하는 논술의 기초를 배우게 됩니다.

골칫덩이 악동 프란티를 격리하는 문제는 다른 학생들과 프란티 중 기준을 누구에게 두느냐에 따라 의견을 달리할 수 있습니다.

● **찬성하는 논증의 예 :** 프란티는 구제 불능 문제아입니다. 그리고 문제를 일으킨 뒤에 반성도 하지 않습니다. 반성을 하지 않는 사람은 달라지지 않습니다. 칼까지 휘두르는 프란티는 학생들 사이에 두기에는 매우 위험한 존재인 데다, 다른 학생들까지 물들일 위험이 있습니다. 그러므로 프란티는 적합한 다른 시설에서 따로 교육을 받아야 합니다.

● **반대하는 논증의 예 :** 학교는 단순히 지식만을 배우는 곳이 아니라, 또래 집단과 어울리면서 더불어 살아가는 방법을 익히는 곳이기도 합니다. 그것이 장애우나 문제아라도 한 교실에서 생활해야 하는 까닭입니다. 프란티를 격리시켜야 할 존재로 보는 것은 바람직한 교육 방법이 아닙니다. 문제 있는 아이들도 보듬어 안고 건전한 사회인으로 길러 내려 노력하는 것이 사회가 가져야 할 자세입니다.

 CHECKPOINT

주장을 뒷받침하는 근거를 확실하게 제시해 줘야 합니다.

5 사고 영역 _ 논리적 사고

제시문을 읽고서 주어진 주제에 대하여 논술하는 문제입니다.

제시문은 소방관이 불이 난 건물에서 사람을 구출하는 광경을 그리고 있습니다. 그리고 주어진 논술 주제는 진정한 용기에 관한 것입니다. 그렇다면 제시문에서 용기를 보여 주는 부분을 먼저 찾아봐야 합니다.

제시문에서 용기는 소방관이 사람을 구출하는 과정에서 잘 나타납니다. 불이 난 건물에 가장 먼저 들어간 소방관은 불길이 거세게 치솟아 자신의 목숨마저 위태로운 상황 속에서도 두려워하지 않고 침착하게 위기에 빠진 사람을 구해 냅니다.

그리고 다른 사람들이 무사히 건물 밖으로 빠져나갈 수 있도록 도와준 뒤 가장 나중에 건물을 빠져나옵니다. 이 모습은 지켜보는 사람들의 감탄과 환호를 불러일으킵니다. 사람들은 죽음을 두려워하지 않고 다른 사람들을 위해 위험 속으로 뛰어든 소방관의 희생적인 모습에서 진정한 용기를 본 것입니다.

CHECKPOINT

제시문을 분석하여 논술 주제와 바르게 연관시킬 수 있어야 합니다.

다음은 논술 5단계 문제에 대한 예시 글입니다. 지도에 참고하시기 바랍니다.

　용기는 늘 사람에게 권장되는 덕목 가운데 하나입니다. 또한 살아가면서 우리는 나 자신이나 가족, 친구를 위해 크고 작은 용기를 내기도 합니다. 그러나 전혀 모르는 다른 사람들을 위해 목숨을 걸 만큼 큰 용기를 내기란 쉽지가 않습니다. 또 그와 같은 진정한 용기를 보여 주는 사람을 만나기도 쉽지 않습니다.

　제시문에서는 진정한 용기를 보여 주는 사람이 나옵니다. 소방관 로비노가 바로 그 사람입니다. 로비노 소방관은 불이 난 건물에 가장 먼저 뛰어들었으며, 불길이 거세게 치솟아 자신의 목숨마저 위태로운데도 망설임 없이 행동해 건물에 갇혀 있던 사람들을 구합니다. 위기일발의 상황이었기 때문에 죽음을 두려워하여 조금이라도 망설이거나 지체했다면 무사히 건물을 빠져나오기 힘들었을 것입니다.

　자신의 목숨이 위태로운 상황에서 두려움을 느끼지 않을 사람은 아무도 없을 것입니다. 아무리 훈련받은 소방관이라도 마찬가지입니다. 그러나 로비노 소방관은 사람들을 구하는 자신의 임무에 충실했으며, 두려움을 이겨 내고 용기 있게 행동하여 다른 사람들의 목숨을 구했습니다. 로비노 소방관에게 보내는 사람들의 환호성은 진정한 용기가 무엇인지 가르쳐 준 '이탈리아의 영웅'에 대한 진심 어린 존경에서 우러나온 것이었습니다.

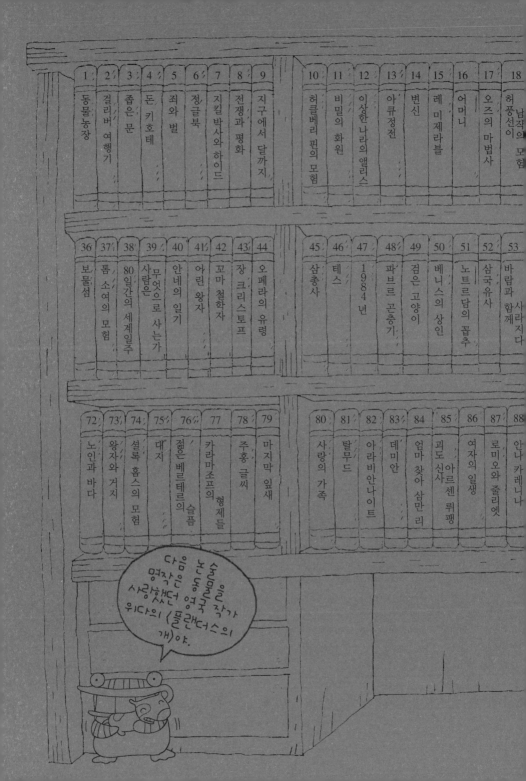

1	2	3	4	5	6	7	8	9	10	11	12	13	14	15	16	17	18
동물농장	걸리버 여행기	좁은 문	돈 키호테	죄와 벌	정글북	지킬박사와 하이드	전쟁과 평화	지구에서 달까지	허클베리 핀의 모험	비밀의 화원	이상한 나라의 앨리스	아큐정전	변신	레미제라블	어머니	오즈의 마법사	남자의 모험

36	37	38	39	40	41	42	43	44	45	46	47	48	49	50	51	52	53
보물섬	톰 소여의 모험	80일간의 세계일주	사람은 무엇으로 사는가	안네의 일기	어린 왕자	꼬마 철학자	장 크리스토프	오페라의 유령	삼총사	테스	1984년	파브르 곤충기	검은 고양이	베니스의 상인	노트르담의 꼽추	삼국유사	바람과 함께 사라지다

72	73	74	75	76	77	78	79	80	81	82	83	84	85	86	87	88
노인과 바다	왕자와 거지	셜록 홈스의 모험	대지	젊은 베르테르의 슬픔	카라마조프의 형제들	주홍 글씨	마지막 잎새	사랑의 가족	탈무드	아라비안나이트	데미안	엄마 찾아 삼만 리	괴도 신사 아르센 뤼팽	여자의 일생	로미오와 줄리엣	안나 카레니나

다음 명작은 노벨상 작가 수상은 영국 작가 사랑했던 영국 위다의 (플랜더스의 개)야.